U0115518

藝術叢刊之十

齊白石篆刻藝術的研究

崔峻豪 著

文史哲出版社印行

國立中央圖書館出版品預行編目資料

齊白石篆刻藝術的研究 / 崔峻豪著. -- 初版.
-- 臺北市：文史哲，民81
　冊；　公分　--(藝術叢刊；10)
　ISBN 957-547-176-8(平裝)

1. 齊白石 - 作品集 - 批評,解釋等　2. 篆刻
- 作品 - 批評,解釋等

931.7　　　　　　　　　　　　　　81005427

⑩　刊叢術藝

齊白石篆刻藝術的研究

著　者：崔峻豪
出版者：文史哲出版社
登記證字號：行政院新聞局局版臺業字五三三七號
發行人：彭　正雄
發行所：文史哲出版社
印刷者：文史哲出版社
台北市羅斯福路一段七十二巷四號
郵撥○五一二八八一二彭正雄帳戶
電話：三五一一○二八

中華民國八十一年十月初版

實價新台幣四○○元

前　言

　　本書是筆者第二個碩士學位的論文。在韓國弘益大學美術研究所畢業之後，極欲研究中國的藝術，於是進入一心嚮往的師大美術研究所。有幸跟王師北岳學璽印學課程之後，才了解到中國篆刻藝術的深奧。在學習過程當中，我最感興趣的就是齊白石的作品。

　　齊白石是中國近代篆刻界中備受推崇的一位篆刻家。他雖出身於貧寒的農家，且少年時學過雕花木工，然而英雄不論出身低，他不但得到顧主與朋友賞識協助，並繼而從師讀詩習書畫、學篆刻，發奮力學，又由於他不願固守窠臼、勇於創新，終能卓然成家，享壽九十有五，這是中國近代著名篆刻家中絕無僅有的；而在篆刻史上，實據承先啟後的重要地位，對近代中國印壇及其他國家有著深遠的影響。

　　關於齊白石在繪畫方面的成就，前人研究著錄的極多；齊白石在篆刻方面的成就，不下於繪畫，但論述方面不多，因此筆者乃就其年譜、自述、印譜、手批師生印集、傳記、其他刊行物與吾師　北岳的口述中加以整理，但文中難免有疏弱之處，尚請指教。

　　本書之完成，首先感謝指導教授王師北岳，在資料上的提供不遺餘力，又不辭辛苦地口述所知，且時時給我精神上的鼓勵，凡此皆使我銘在心底，永生難忘。同時也要感謝美術系、所諸位師長及同學、朋友們的教誨與鼓勵，在此不能一一提及，尚請見諒！

　　最後，特別感謝父母兄弟、岳父岳母及吾妻近三年無微不至的關懷與支持，俾能專心潛研，完成論文。

崔　峻　豪　於台北

八十一年一月

齊白石篆刻藝術的研究

目　次

圖 片 目 次

第一章　齊白石及其所處的時代

第一節　齊白石生平事跡

齊白石於清同治二年(西元一八六三年)，亦就是民國前四十九年癸亥年十一月二十二日，誕生在湖南省湘潭的杏子塢星斗塘(註一)一個貧窮的農家。杏子塢的星斗塘(註二)，就座落在群山環抱、幽靜、美麗的山谷之中。

齊白石自稱他的祖先，係於明朝永樂年間，自碭山遷到湖南湘潭。(註三)他的祖父萬秉，號宋交，性情剛毅坦直，不畏強權惡霸。他的祖母馬氏，溫順和靄，勤儉刻苦。他的父親貰政，號以德，生性內向怕事。他的母親周氏，與他的父親相反，脾氣相當耿烈。(註四)

在「白石老人自述」中，齊白石說：

「我們家鄉，做飯是燒稻草的，我母親看稻草上面，常有沒打乾淨剩下來的穀粒，覺得燒掉可惜，用擣衣的椎，一椎一椎的椎下來，一天可以得穀一合，一月三升，一年就三斗六升了，積了差不多的數目，就拿去換棉花。又在我們家裡的空地上，種了些麻，有了棉和麻，我母親就春天紡棉，夏天織麻。……我母親織成了布，染好了顏色，縫製成衣服……。」(註五)

誰知道這樣貧窮的農家環境，卻成為日後齊白石藝術上脫穎而出的豐富資產。

類似這一類的生活經驗，在「白石老人自述」中不勝枚舉：九歲時，「幫著挑水、種菜、掃地、打雜」，（註六）十一歲時，「一邊牧牛，一邊砍柴，順便撿點糞」，（註七）十三歲時，「掘些野菜，用積存的乾牛糞煨著吃，柴灶好久沒用，雨水灌進灶內，生了許多青蛙」，（註八）十四歲時，「插秧耘稻，整天的彎著腰,在水田裡泡」（註九）等等,這就是他的童年,這裡面充滿了生活的經驗,這些豐富的物質知識與勞動經驗，成為他日後藝術上所憑藉的最有力的語言。（註十）

十五歲時，跟他的本家叔祖齊仙佑學做木匠手藝。十六歲時，另拜雕花木匠周之美為師，他對雕花工作覺得十分有趣，用心學習，得師傅稱許，三年滿師之後，被人稱作「芝木匠」。（註十一）

自十九歲至二十七歲，他做了八年的雕花木匠，這八年的雕花生涯，對他以後的藝術創造，已打下良好的根基。（註十二）

在「白石老人自述」中，他說：

「那時雕花木匠所雕的花樣，差不多都是千篇一律，祖師傳下來的一種花籃形式，更是陳陳相因，人家看得很熟。雕的人物，也無非是些麒麟送子，狀元及第等一類東西。我以為這些老套的玩藝兒，雕來雕去，雕個沒完，終究人要看得膩煩的。我就想法換個樣子，在花籃上面，加些葡萄石榴桃梅李杏等果子，或牡丹芍藥梅蘭竹菊等花木

。人物從繡像小說的插圖裡，勾摹出來，都是些歷史故事。還搬用平日常畫的飛禽走獸，草木蟲魚，加些佈景，構成圖稿。我運用腦子裡所想得到的，造出許多新的花樣，雕成之後，果然人都誇獎說好。我高興極了，益發的大膽創造起來。」(註十三)

齊白石當時出師不久，還只是二十歲的年青小伙子，就敢打破困襲傳統的陋習，而把新的生命注入雕花木刻，這就是他的不凡之處。

二十七歲時，可說是他生命史上的轉捩點。他正式拜胡沁園(註十四)習畫，隨陳少蕃(註十五)學詩，從此走進文人的社會，有機會得見古今名人字畫，開始以賣畫維生。(註十六)胡、陳二人乃給此一多才的年輕木匠取名為齊璜，號瀕生，別號白石。(註十七)

三十二歲時，因胡沁園的介紹，認識了黎松安(註十八)等人，組織了「龍山詩社」，大家(註十九)聚集在一起，談詩論文，兼及書畫篆刻，齊白石被推為社長。(註二十)

三十四歲時，他因為想學刻印章，在閒暇時，也常常學著寫些鐘鼎篆隸。(註二一)見詩友們都善於刻印，遂下決心學刻印。從黎松安處見到丁敬、黃易的印拓，大為讚服，於是攻習丁、黃，走浙派方樸一路。(註二二)

三十七歲時，他始由張仲颺介紹去拜見王湘綺。(註二三)他一生中，得到朋友的幫助很大，這些士大夫階級的朋友，甚至像王湘綺、樊樊山(註二四)，都是自視甚高、個性相當傲岸的人，都主動地與他

交往，亦師亦友地，給他學問、道德、藝術方面的引導，將一塊璞玉琢磨成稀世國寶，他們實在是齊白石成就的功臣。(註二五)

三十八歲時，某富豪請他畫十二幅衡山風景，酬禮達三百二十兩。(註二六)於是他在蓮花砦下面，租了梅花祠來住，取名「百梅書屋」，又添蓋一間書房，取名「借山吟館」，後來他的名號、印章，就常用此名。

有人問：

「你的借山吟館，取借山兩字，是什麼意思？」

齊白石說：

「意思很明白，山不是我所有，我不過借來娛目而已！」（註二七）

四十三歲時，在黎薇蓀家見到趙之謙的「二金蝶堂印譜」後，發現了篆刻的新境界，進而潛心研究趙之謙的筆意與刀法，經一番體會，觀摩比較，不斷的臨摹，始瞭解老實為正及疏密自然之理，刀法一變。(註二八)

四十歲至五十四歲十四年間，他因友人邀約五次出遊。他自稱是生平可紀念的五出五歸。(註二九)從此以後，識廣聞多，以家鄉湘潭為軸心，而去西、北二方，到過西安、北平、天津，東至上海、南京、蕪湖、九江。西南方面，至廣西，廣東的欽、廉二州，越南的芒街，迄廣州、香港等地。可說是走遍中國名山大川，足跡遍歷大半個中

國。(註三十)經過這一段時期以後，他的眼界既廣闊，心境亦舒展，藝術的境界也比從前開闊許多。

　　入民國以後，他始終沒有離開湖南省境，也不打算再作遠遊了，卻不料連年兵亂，常有軍隊過境，南北交鬨，互相混戰，附近土匪、乘機蜂起。官逼稅捐，匪逼錢穀，稍有違拒，則巨禍立至。有碗飯吃的人，都紛紛別謀避難之所。齊白石正當進退兩難，一籌莫展之時，接到樊樊山的來信，勸他去北平居住，說是賣畫足可自給。齊白石迫不得已，乃又辭別父母妻子，帶了簡單行來，獨自動自北上。（註三一）

　　五十五歲時，因為家鄉戰亂，他一個人跑到北平，賣畫刻印為生。(註三二)

　　六十歲時，陳師曾將齊白石的畫攜往日本，參加中日聯合繪畫展覽會，全部高價售出，又加入巴黎展覽會，於是中國齊白石的畫名，遠播海外。(註三三)國內的賣畫生涯，也大大興隆了起來。從此以後，他就長期定居北平了。

　　六十五歲時，國立北平藝術專門學校校長林風眠，請他教國畫。這時候他說：

　　「不行，不行，我是個鄉巴佬出身，不要說教畫，就是上學，自己也才上了半年的學，教不了，教不了。」(註三四)

　　聞者莫不相對啞然。事實上，他並不是沒念過什麼書，只是較少

進學校而已。此後，他的藝道修養，真是如日中天，直進「仙境」的堂奧，盡得「妙」義神機。(註三五)當年的「芝木匠」，今日的「齊教授」，這段奮鬥路程，是多麼遙遠而不易！

民國二十年，時年六十九歲。九一八事變以後，登門求畫的日本人，絡繹不絕，齊白石對他們卻相應不理。(註三六)

民國二十六年，七十七歲，實七十五歲，這中間大兩歲的差異是有原因的，那是因為他早年，相信長沙一個命相家舒貽上替他算的命，說他「七十五歲這一年，脫丙運，交辰運，美中不足，有大災難，宜用『瞞天過海』法，口稱七十七，作為逃過七十五一關矣。」(註三七)從此以後，記載他的年歲時，就增加了兩歲。此年，日本軍閥入侵中華，北平陷入日寇手中之後，他立即辭去北平藝專的教授之職，蟄居在家，鮮少有什麼活動。(註三八)這段時間，他的藝術充滿憂時憂國的心情。

民國三十八年，他八十七歲，中共據大陸，北平淪陷。據說中共佔據北平以後，果然勒令齊白石將所有的書和印，全部捐獻給人民政府。還有他埋藏在地下的金錢，也都被中共以重修寄萍堂為由，搜括一盡。(註三九)

九十三歲時，中央人民政府文化部授予齊白石一級榮譽獎狀及「人民藝術家」稱號。他當選為「美協」主席。(註四十)

九十四歲時，他任湖南省代表，出席一屆「全國人民代表大會」

。（註四一）

九十六歲時，「世界和平理事會」書記處宣佈將一九五五年度「國際和平獎」授予齊白石。（註四二）

民國四十六年（西元一九五七年）九月十六日，他逝世於北平，享年九十七歲，實九十五歲。他這一生，可說是完全獻身於藝術，為普及國畫和篆刻，他不僅盡了他身為中國人的責任，亦盡了他人生的本分。

第二節　齊白石名號

天地之間的萬事萬物，為便於識別，都由萬物之靈的人類賦予其一個「名號」，而名號又有「總名號」與「分名號」之分，例如「山」或「河」是總名號，華山、泰山及黃河、永定河則是分名號，依次類推，連人類本身也不例外。（註四三）因此，中國人往往都有兩個以上的名字，藝術家的名字就更別提了。有人說：「一個人的名號，只不過是一個藉以識別的符號而已。」其實並不盡然，因為一個人的名字或別號，除了方便識別而外，往往還賦有特殊的命意。（註四四）

齊白石的名號很多，但都有特別的含義。茲就其性質及時間先後，分別敘述如下：

純芝——按照齊氏家族的排行，到他這一代是「純」字輩，乃取此名。

阿芝——祖父祖母和父親母親稱呼他的乳名。

芝木匠——他做了木工，主顧們叫他這個名字。

芝師傅——主顧們客氣一點的叫他此名。

渭清——他自己取的號。

蘭亭——他的祖父給他取的。

齊璜、瀕生——他老師胡沁園、陳少蕃商量後給他取的名和號。

白石山人、白石、白石山翁、白石翁、白石老翁——因爲他的家是在湘潭白石舖附近，老師又給他取了一個別號叫「白石山人」，以備題畫所用，大家爲了省事，去掉「山人」兩字，索性叫他齊白石了。

木人、老木一、木居士、魯班門下——都是他不亡本的自稱，他曾作過木工，這在他成長過程之中是一段漫長的掙扎過程，當然不會輕易忘懷。

杏子塢老民、星塘老屋後人、有衣食之苦人、湘上老農——他出生於湖南湘潭杏子塢星斗塘，用以紀念他老家所在的地方，以及出身貧苦農家的情狀，時常署上這些名號。

寄園、寄萍、老萍、萍翁、寄萍老人、寄萍堂主人、寄萍堂上老人、寄幻仙奴——是因爲他頻年旅寄，形同飄萍，焂忽來去，聊以自慨而已。他在「白石老人自述」中曾說過：

「當初取此『萍』字做別號，是從『瀕生』的『瀕』字想起的。

」（註四五）

含有一字雙關的意思。

　　借山翁、借山老人、借山老叟、借山吟館主者──是表示人生如寄，大可以隨遇而安的意思。

　　三百石印主者、三百石印富翁──則是他雅好蒐羅珍異石材鐫刻印章，總數不下三百顆，自得自滿，亦復自嘲耳。

　　齊大──是戲用「齊大非耦」的成語，而他在本支，恰又排行居首。

　　佩鈴人──是他小時候，祖母用紅絨繩把一個銅鈴繫在他的脖子上，以逢凶化吉，招祥納福。

　　八硯樓主、八硯樓頭老子──則是他在故鄉築在「八硯樓」，內藏遠遊各地時陸續得來的八塊上好硯台。

　　京華餓叟、富翁齊白石──前者是自謙，後者確實是他成名後的寫照。

　　悔烏堂──是自愧未能善加奉養父母。

　　齊美人──是因他善畫仕女，皆美豔絕倫，鄉人送給的綽號。

　　齊白石在「白石老人自述」中說：

　　「這一大堆別號，都是我作畫或刻印時所用的筆名。」（註四六）

　　齊白石可以說是自來刻印最多，閒章也最多的一位篆刻家。

（附：齊白石生平年表）

1863年	同治 2年	癸亥	1歲	11月22日，出生於湖南湘潭杏子塢星斗塘老屋一農家。
1864年	同治 3年	甲子	2歲	多病體弱。
1866年	同治 5年	丙寅	4歲	祖父用柴鉗教以認字。
1870年	同治 9年	庚午	8歲	入外祖父周雨若所設私塾裡讀書，並用描紅紙習字，開始用描紅紙書畫。秋，因家貧停學。
1871年	同治10年	辛未	9歲	以後數年，在家挑水、種菜、砍柴、放牛、撿糞。偷閒溫習舊書，把「論語」讀完。
1874年	同治13年	甲戌	12歲	娶妻陳氏，名春君，是年亦剛滿12歲。
1877年	光緒 3年	丁丑	15歲	從叔祖父木匠齊仙佑學粗木匠。
1878年	光緒 4年	戊寅	16歲	從雕刻匠周子美學雕花手藝(小器作)。
1881年	光緒 7年	辛巳	19歲	出師。與陳春君「圓房」。
1882年	光緒 8年	壬午	20歲	臨摹「芥子園畫譜」。

1884年	光緒10年	甲申	22歲	以後數年，仍靠雕花活爲生。並漸有畫名，鄉人常請繪畫神像。
1888年	光緒14年	戊子	26歲	拜肖像畫家蕭薌陔爲師，認識畫像名手文少可，於畫像一藝，稍有門徑。
1889年	光緒15年	己丑	27歲	拜胡沁園及陳少蕃爲師。從譚荔生學畫山水。
1892年	光緒18年	壬辰	30歲	除畫像外，亦兼畫山水人物，花鳥和仕士，尤善畫美女，故有「齊美人」之稱。從蕭薌陔學習裱畫。
1894年	光緒20年	甲午	32歲	與七人共組「龍山詩社」並被推爲社長。中旦甲午戰爭。
1895年	光緒21年	乙未	33歲	成立「羅山詩社」。
1896年	光緒22年	丙申	34歲	隨胡沁園、陳少蕃兩師，習寫何紹基體，並學鐘鼎篆隸。始習刻印，得同鄉友人指點，復獲贈丁敬、黃易兩家印拓。
1898年	光緒24年	戊戌	36歲	得丁敬、黃易印譜，深研兩家刀法，得其神理。

1899年	光緒25年	己亥	37歲	拜於王闓運(湘綺)之門,攻習詩文。稱後刊首套印譜,名「寄園印存」。
1900年	光緒26年	庚子	38歲	爲湘潭鹽商繪南嶽衡山全圖十二幅,得謝金三百二十兩銀子。承典梅公祠作居所,取名「百梅書屋」,後加蓋一書房,名「借山吟館」。中國門戶開放。八國聯軍陷北平。
1902年	光緒28年	壬寅	40歲	秋,應夏午詒邀遊西安,結識大詩人樊樊山。得刻印的潤資五十兩銀子。
1903年	光緒29年	癸卯	41歲	隨友人進京,除敎畫外,並賣畫刻印,結識張貢吾、曾農髯、李筠庵。五月離京返鄉,此爲五出五歸中之一出一歸。
1904年	光緒30年	甲辰	42歲	春,隨王湘綺等遊南昌、廬山。得王湘綺撰「白石印譜序」。拓存以前所刻之印,命名爲「白石印草」。此爲二出二歸。
1905年	光緒31年	乙巳	43歲	在黎薇蓀家得見趙之謙的「二金蝶堂印譜」,以後喜其氣格,刻印即改撝叔一體。作畫亦改用大寫意筆法。這是齊白石改變篆刻之一樞紐。

1906年	光緒32年	丙午	44歲	自桂林往廣州，再赴欽州。此為三出三歸。
1907年	光緒33年	丁未	45歲	春，再往欽州，過北崙河南岸。 冬，回鄉。此為四出四歸。
1909年	宣統 1年	己酉	47歲	往欽州接四弟長子回家，路過香港、上海、蘇州、南京。此為五出五歸末一次回來。
1910年	宣統 2年	庚戌	48歲	遠遊歸來，畫境、心胸擴展許多。刻印風格，從漢印格局，融入撝叔一體，友人評為古樸而耐人尋味。為譚延闓兄弟及王湘綺刻印，一時名聲大起，求刻印者不斷。
1911年	宣統 3年	辛亥	49歲	會當時之名士瞿鴻機。
1912年	民國 1年	壬子	50歲	居家不出，欲終老還鄉不作遠遊之想。
1914年	民國 3年	甲寅	52歲	胡沁園逝世。繪畫二十餘幅，裱成後在胡師靈前焚祭，以謝恩師。
1915年	民國 4年	乙卯	53歲	王湘綺逝世，專程前往哭奠。
1917年	民國 6年	丁巳	55歲	兵亂，接樊樊山之招，單身入京。在琉璃廠南紙店縣賣畫刻印潤格。會陳師曾，即成莫逆，又識陳半丁、姚茫父、王夢白等在京之名畫家。樊樊山為「借山吟館詩草」撰序。十月回鄉，家中已被劫掠一空。

1919年	民國 8年	己未	57歲	老妻居鄉。在北平納副室胡寶珠以照料起居。
1920年	民國 9年	庚申	58歲	經陳師曾之勸變法，一改八大山人冷逸風格，自創紅花墨葉一派。獲交林琴南、徐悲鴻、梅蘭芳。
1921年	民國10年	辛酉	59歲	賀孔才從齊白石學刻印。
1922年	民國11年	壬戌	60歲	春，因陳師曾之介紹，參加中日聯合畫展。又參加巴黎藝術展覽會。
1923年	民國12年	癸亥	61歲	開始作日記，取名「三百石印齋記事」。陳師曾在南京去世。
1925年	民國14年	乙丑	63歲	梅蘭芳正式從齊白石學畫。
1926年	民國15年	丙寅	64歲	三月母親病故，七月父親亦逝世。
1927年	民國16年	丁卯	65歲	應國立藝專校長林風眠之邀，出任中國畫教席。
1928年	民國17年	戊辰	66歲	「借山吟館詩草」(手寫影印本)於秋日印行。把丁巳後在北平所刻印章，拓存四冊，命名爲「白石印草」。

1931年	民國20年	辛未	69歲	詩友樊樊山逝世於北平。收瑞光和尙、趙羨漁、方問溪為徒。
1932年	民國21年	壬申	70歲	日軍侵佔東北,令人憤慨,開始閉門謝客,拒見敵偽人員。得意門人瑞光和尙去世。
1933年	民國22年	癸酉	71歲	「白石詩草」八卷印成。親手拓存「白石印草」十冊,仍用王湘綺舊序,並加撰自序。
1934年	民國23年	甲戌	72歲	陸續選購印石三百方,為門人羅祥止及友人示範刻印,連同以前所刻,已逾三百之數,再事拓存。
1936年	民國25年	丙子	74歲	離北平南下,在漢口乘太古公司萬通輪船往重慶,與金松岑、陳石遺、黃賓虹等見面。
1937年	民國26年	丁丑	75歲	自署七十七歲,信相士之言,用「瞞天過海法」,逃過七十五此關。從此年起自署七十七歲(以下照推)。北平淪陷,辭去北平藝專和京華美專之教職。
1938年	民國27年	戊寅	78歲	湖南淪入敵手,「三百石印齋記事」因而絕筆。

1940年	民國29年	庚辰	80歲	妻陳春君逝世。副室胡寶珠「扶正」為繼室。
1943年	民國32年	癸未	83歲	胡寶珠逝世，得年四十二歲。從此年起，齊白石於大門上貼出「停止賣畫」告示。
1945年	民國34年	乙酉	85歲	日軍投降，重見天日，心情興奮。
1946年	民國35年	丙戌	86歲	開始售畫刻。與徐悲鴻重逢，被聘為北平藝專名譽教授。中華全國美術會舉行齊白石展覽，上海藝術界也舉行齊白石作品展覽。
1947年	民國36年	丁亥	87歲	經徐悲鴻介紹，收李可染為徒。
1949年	民國38年	己丑	89歲	任出席「中華全國文學藝術工作者代表大會」代表。中華人民共和國成立。
1950年	民國39年	庚寅	90歲	受聘為中央美術學院名譽教授。是年，鏑「年九十」白文印一方。
1952年	民國41年	壬辰	92歲	被選為中國文學藝術界聯合會主席團委員。

1953年	民國42年	癸巳	93歲	文化部授榮譽獎狀一級及「人民藝術家」稱號。擔任<u>北平</u><u>中國</u>畫研究會主席。參加「第一屆全國國畫展覽會」。「美協」主席徐悲鴻病逝。當選<u>中國</u>美術家協會第一任理事會主席。
1954年	民國43年	甲午	94歲	<u>東北</u>博物館舉辦「齊白石畫展」。<u>中國</u>美術家協會在<u>北平</u>故宮博物館舉辦「齊白石繪畫展覽會」。出席首屆全國人民代表大會第一次會議。
1955年	民國44年	乙未	95歲	<u>東德</u>藝術科學院授予通訊院士榮譽狀。
1956年	民國45年	丙申	96歲	世界和平理事會授予「一九五五年國際和平獎」。遷回西城跨車胡同十五號「白石畫屋」居住。
1957年	民國46年	丁酉	97歲	實年九十五歲。擔任<u>北平</u><u>中國</u>畫院名譽院長。九月十五日臥病，十六日下午病況轉劇，六時四十分逝世於<u>北平</u>醫院。遺囑以石印兩方及紅漆手杖，已脫牙齒陪葬。九月二十二日公祭後移靈西郊<u>湖南</u>公墓，安葬於早年十餘年前已備之生壙。其墓與<u>胡寶珠</u>墓結鄰。

（註四七）

第三節　清末民初印壇的概況

　　如果把印章分兩個時期，<u>隋唐</u>以前，應該是實用時期，<u>隋唐</u>以後，則是游藝時期。(註四八)<u>隋唐</u>以前的篆刻，此較複雜混亂，由於文字的演變，以前用在印章上的繆篆，一般人不易辨識。<u>隋唐</u>以後紙張的發達，印章濡朱的便利，於是印章的文字、形式、內容都有了改變。(註四九)

　　直至<u>元代趙孟頫</u>，提倡復古而以圓朱文入印以後，篆刻藝術開始注入了新的血液，有了新契機。接著<u>吾丘衍</u>在<u>中國</u>篆刻史上寫出了第一部關於篆刻藝術的論著「學古篇」，舉出三十五條理論來闡述篆刻藝術的法度，爲篆刻家奉爲經典，使篆刻藝術的創作有了理論根據，澄清了<u>隋唐</u>以來以<u>九疊文</u>爲尙的風氣。(註五十)對於篆刻成長，有很大的功勞。

　　<u>王冕</u>以前，篆刻所用都是銅、玉、犀角、象牙等硬質材料，不易奏刀，只能請工人去雕鑿。<u>王冕</u>開始以軟石作印，至<u>明代文彭</u>發現「燈光凍」石材，從此和雕刻工人徹底分了家。(註五一)這一轉變，又使篆刻藝術大大地躍進了一步。

　　直到明代<u>文彭</u>、<u>何震</u>之輩出，以<u>漢</u>印爲宗，復古爲尙，更進一步能用軟石假文人之手自書自刻，(註五二)由於印材刻製之稱心如意，和金石學之繁興，因此<u>明清</u>兩代，特別是<u>清</u>代文人治印之風氣纔勃興

起來，可謂名家輩出，代有傳人。不同之篆刻藝術流派也相繼產生，

堪稱篆刻史上鼎盛時期。

　　乾隆時，當由程邃、巴慰祖、胡唐等人領導的徽派，在印壇上稱

盛的時候，錢塘的丁敬以一種切刀的面貌崛起於浙江是稱「浙派」，

這一派作家輩出，如黃易、蔣仁、奚岡、陳豫鍾、陳鴻壽、趙之琛、

錢松等八個人，後世稱爲西泠八家。(註五三)浙派的印風由康熙乾隆

間至清末，可以說是生氣勃勃地支配了整個印壇。

　　繼浙派而異軍突起的，是以安徽懷寧人鄧石如爲主的皖派。鄧氏

以一代四體皆工的書法巨匠而兼擅篆刻。他對徽、浙兩派有繼承，也

有批判，他的治印運刀如筆，一洗前人書刻分家之失，把剛健婀娜的

篆法，巧妙地融化到印章裡來，被後人譽爲「書從印入，印從書出」

的大家。(註五四)二者可互爲表裡，才能在書法與篆刻上有開創的成

就。他把正確優美的篆法，精妙的章法，和圓勁的刀法高度地結合起

來，(註五五) 進而創造出遒勁而又流麗的印格。

　　學習鄧石如的人不多，包世臣、吳聖俞、吳讓之、徐三庚等都是

其中佼佼者。包世臣以「藝舟雙楫」著名，不著意於篆刻，作品極少

。吳聖俞刀筆較弱，不足以發揚鄧石如之學，只有吳讓之與徐三庚是

皖派中的健將。(註五六)包世臣甚爲看重吳讓之，在其「述書上」說

：

、熙載，甘泉楊亮、季子，高涼黃洵、脩存，餘姚毛長齡、仰蘇，旌德姚配中、仲虞，松桃楊承汪、挹之，皆得其法，所作時與余相亂。」（註五七）

就舉出當年十九歲吳廷颺的名字，到他三十歲後時已爲識者推崇。

吳讓之書法以篆隸爲最得意，皆蹈襲鄧石如之法。印至吳讓之，完全可以說是以刀寫字，鐵筆之稱，當之無愧，可謂「書印合一」的境界（註五八），充滿了清新的作風。

徐三庚變皖派衝刀爲切刀之法，於是筆劃的本身增加了趣韻，王師北岳評曰：

「入鋒處有行楷筆意，出鋒處多爲懸針，疏密得致，自成一格。」（註五九）

又「海上墨林」中則記：

「攻篆隸，得天發神讖碑三昧，刻印與書法相通。」（註六十）

徐三庚之白文印得浙、皖二家之長，流轉中兼顧方峭，朱文印則如吳帶當風。他的缺點在過於逞弄，雖然流美有餘，卻也形成習氣。

晚清的篆刻界，皖派自吳讓之、徐三庚以後，不旋踵而又有一位掌握浙、皖，力能驅六朝碑版入印的趙之謙。他的天賦，使他的書畫、篆刻都有如「天馬行空，不可方物」的美妙。據文獻，他刻印先學丁敬，後學鄧石如，以他非常的天才與努力，造成了竝時難睹之奇蹟。（註六一）趙之謙對後世影響很大，如黃牧甫、齊白石、趙叔孺、壽

<u>石工</u>都吸取他的精神。

<u>王師北岳</u>說：

「有人認爲他是<u>會稽</u>人，又所刻白文印也近乎<u>浙派</u>，應屬<u>浙派</u>；但朱文印又近乎<u>皖派</u>與<u>浙派</u>不同，所以便名之爲『<u>新浙派</u>』，這仍然是以地區來分宗派的，其實晚<u>清</u>時，早已把地區名派的分別界限打破，所以<u>趙之謙</u>以他的成就，實在可以自立派別，稱之爲『<u>趙派</u>』較爲適當。」（註六二）

<u>趙之謙</u>的篆刻匯合<u>浙</u>、<u>皖</u>兩派而自成一家，繼<u>趙</u>而起的<u>吳昌碩</u>、<u>齊白石</u>和<u>陳師曾</u>等成爲<u>民國</u>初年的即印重鎮，都曾爲時代所推崇。

在<u>趙派</u>之後最負盛名的，就是<u>吳昌碩</u>。他篆刻初學<u>陳曼生</u>、<u>徐三庚</u>、<u>趙之謙</u>等<u>浙</u>、<u>皖</u>諸家，進而學<u>吳讓之</u>、<u>錢松</u>兩家印法，於是在篆刻的發展上更進一層。

<u>王家誠</u>先生說：

「<u>錢松</u>於<u>太平天國</u>時，自盡於<u>杭州</u>；<u>錢松</u>印譜則由<u>吳昌碩</u>好友<u>高邕</u>搜集刊行。<u>吳讓之</u>在<u>太平天國</u>亂後，約<u>同治</u>四年，從<u>泰州</u>到<u>蘇州</u>，寄寓在<u>吳雲</u>家中，<u>同治</u>九年逝世，正是<u>吳昌碩</u>開始游學的前夕。幾年後<u>吳昌碩</u>寄寓在<u>吳雲</u>之<u>兩罍軒</u>期間，不僅可能接觸到<u>吳讓之</u>的印章和印譜，受到較深的影響，一變光潔工整的風格爲『亂頭粗服』。接著，他進一步在<u>吳雲</u>所藏的大量璽印、封泥、漢碑篆額、石鼓文及金文中鑽研。」（註六三）

由此可見，吳昌碩的篆刻藝術深受吳讓之、錢松的影響。

吳昌碩中年後，廣採戰國璽、秦漢印、石鼓、瑯琊刻石、封泥、磚瓦、碑碣等金石文字，融會貫通，而出新意。(註六四)他的印風，支配了民國以來的篆刻界，陳師曾、齊白石、趙古泥等，便都受了他的影響。(註六五)

王師北岳說：

「後世稱這一派爲『吳派』，又因爲缶盧老人客居上海最久，所以又稱之爲『海派』。」(註六六)他的篆刻藝術成就極高，承先啓後，是開創新風氣的一代宗師。

光緒卅年(西元一九〇四年)夏，葉品三、丁輔之、吳石潛、王福庵等聚於杭州西湖的人倚樓，發起創立研究金石篆刻學術團體，名爲「西泠印社」。(註六七)印社座落在西湖孤山，因傍臨「西泠橋」，故名「西泠印社」。

西泠印社對於研究、發揚金石篆刻藝術不遺餘力：樹立印社制度，整理刊印有關書籍、教授推展篆刻藝術，服務同道，改良印泥等，這些貢獻，對文化的傳承與推動，實功不可沒，成爲馳名中外的著名學術團體，也是民國以來第一個成立的篆刻團體。(註六八)

繼之有黃牧甫，也是獨開一派的篆刻家。他的刻印早年是學鄧石如、吳讓之的，又受了趙之謙的影響，中年以後，改變路數，用平直簡快的刀法，刻出方剛樸茂的面目；明快而不俗，平實而不板，奇正

相輔，反常合道，自成一家，也稱『黟山派』。因爲他旅居廣東甚久，又有人稱之爲『粵派』。他刻的邊款，是取法漢金文的，平直簡當，面貌在隸楷之間，有古拙之趣。學他的人很多，易大厂、李茗柯、鄧爾雅、馮康候、壽石工，金禹民、喬大壯等都是。齊白石早期的印也受了他的影響。(註六九)對篆刻藝術的擴充和豐富，作出了一定的貢獻。

吳昌碩、黃牧甫之後，齊白石是僅次於吳昌碩的天才印人，其刻初學浙派，後學趙之謙。他在刻印理論上不以「摹、作、削」爲然，認爲這是刻印的絕症。他的作品痛快淋漓，能在古來不少大家之後，開闢一個新的天地。(註七十)受他影響的人不少。

王師北岳說：

「世稱之爲『齊派』，有人又以他旅居北平甚久，又稱之爲『京派』。」(註七一)

其他晚淸以來的篆刻家尙多，如趙叔孺、趙石、王福厂、丁二仲、簡琴齋、趙仲穆、王石經、陳師曾、李尹桑、鍾剛中、彭漢懷、喬大壯、陳半丁、壽石工、賀孔才、唐醉石、童大年、葉品三、吳石潛、丁輔之、王冰鐵、馬公愚、楊仲子等多人，治印都別具蹊徑，爲一時之選，但與前舉數家，風格容或相近，故不枚舉。

（附：清末民國篆刻家生卒年表）

　　　　　　　　　　　——以齊白石生卒爲標準——

年　代	生	卒
1863年	齊白石、蕭蛻、徐鄂、强運開	葉志銑
1864年	黃賓虹、俞云、周慶云、魏本怡、黃恩銘	張安保、鄭珍、徐鴻謨、汪鏐、夏鸞翔
1865年	顧麟士、厲良玉、蔣維瀚、王云、何壽章、丁尙庚	方德醇
1866年	羅振玉、吳沃堯、宣哲	
1867年	鐘以敬、吳隱、包承善、李寶嘉、葉爲銘、郭似塤	
1868年	李瀞之、徐乃昌、徐中孚、朱錕	
1869年	楊寶鏞、吳淦、趙椿年、方若	
1870年	何樸、李慶霄、汪洛年、陶瑢、夏壽田、黃樹濤、歐陽楨	吳熙載、鄧傳密、李佁暲

1871年	吳寶驥、褚德彝、徐善聞	莫友芝
1872年	范松、時振奎、鄭叔昭	胡澍
1873年	林蘭滄	何紹基、沈樹鏞、吳廷康、鐘權
1874年	童大年、趙石、王孝煃、陳漢第、趙時棡、易熹、金度、趙起、鐘華	陳春熙
1875年	吳琛、馮漢、李徐	周閑、唐翰題
1876年	陳衡恪、杜兆霖、吳涵、姚華、高時豐、陳融	周棠、李佐賢、張文湛
1877年	陳半丁、李禎、胡柏年、經享頤	王素、瞿秉清
1878年	金城、汪榮寶、吳澂、丁世嶧、高時顯、程用賓、陶洙	
1879年	費硯、蔡守、丁仁	蔣確
1880年	王褆、李息、徐宗浩、朱葆慈、樓邨、楊天驥、彭祖澤、姚肇昌、周肇祥、李尹桑、徐宗浩、黃葆戊	汪行恭、蔣節、張瑛

1881年	李健、胡傅湘、馬衡、魯迅、王光烈、雷恪	楊沂孫、王治壽、魏錫曾
1882年	雷悅、馮迥、張宗祥、馬浮、陸樹基	陳澧、黎培敬、汪鋈
1883年	鄧爾雅、李鳳廷	吳云、高心夔、汪鋆
1884年	蘇玄瑛、孟昭鴻、陸褒景、邵裴之、謝光	趙之謙、奏祖永、釋眞然、陳介祺、陳允升、葛桐
1885年	王師子、吳邁、徐楨立、郭蘭祥、周作人、胡希、楊仲子、羅福成、鄒容	徐康、高慶齡、載有恒
1886年	夏鑄、符鑄、高時敷、胡濤、柳棄疾、呂鳳子、朱鴻達、唐源鄴、易忠籙	胡遠、張熊
1887年	林兆祿、郭蘭枝、阮伯康、董井	陳璞
1888年	于照、簡俓綸、楊祖錫、胡光煒、鐘器、區建公	魏本怡

1889年	壽璽、潘鳳起	方濬頤
1890年	朱積誠，馬公愚、郭則豫、楊浣石、袁克文、潘中隨	徐三庚、潘祖蔭、丁文蔚、曾紀澤、翁大年
1891年	鄭時、談月色、宁斧成、夏宜滋、周康元、杜天糜、張志魚、周暹、阮性山	載以恒、張景祁
1892年	汪之慶、陳邦福、葛昌楹、喬曾劬、郭沫若	劉慶祥、孫云錦
1893年	周進、潘學固、田桓、趙鶴琴	汪彥份、任薰、雷浚
1894年	葉聖陶、吳湖帆、容庚、高茶禪、鄭昶、諸聞韻、祈崑	徐中孚、趙穆、陸心源、李嘉福
1895年	何印盧、葉祥本、鄒韜奮、何墨、董作賓、沈樾、馬景桐	
1896年	周明泰、茅盾、戚繼棠、鄧肇新、李祖佑、龐士龍、王賢、周明錦、錢瘦鐵、羅福萇	楊峴、任頤

1897年	潘天壽、王獻唐	徐惟琨、王韜、陸泰
1898年	鄧散木、譚建丞、張克和、陳麗峰、劉淑度、林熊光、陳子奮、吳澤、豐仁、黎澤泰	黃恩銘、胡義贊、吳承瑙、趙穆
1899年	羅福葆、陸維釗、張大千、瞿秋白、吳雅之、聞一多、朱松闇、劉師儀、吳子復	丁丙、居巢、江標、方濬益
1900年	沙孟海、朱復戡、劉之灝、秦咢生、馬晉、忻壽、周砥卿、黃松濤、蔡易庵	王懿榮、戈青侯、謝庸、沈翰、曾和
1901年	方嚴、張魯盦、陳直、陶壽伯、商承祚、胡淦、王敦化、陳家楫、顧青瑤、高拜石	王琛、任預
1902年	諸樂三、吳熊、來楚生、金維堅、丁衍鏞、趙敬予	吳大澂、劉嘉穎、童晏、包承善
1903年	徐之謙、張大壯、鄧壁、劉伯年、周鐵衡、徐慕農、陳堯廷、張丹農、賀孔才	王同、傅栻、徐士愷

1904年	傅抱石、劉峸、蔣鳳儀、陳語山、陳漢普、馬瑞圖、丁卓英、顧廷龍、陳堅、支謙	何壽章
1905年	韓登安、陳巨來、張寒月、陳亞甫、陳運彰、薛佛影、林樹鋒、陳宗虞、羅福頤、吳叔平	鄒容
1906年	錢君匋、鄒夢禪、王季銓、李以祉、呂人龍、金禹民、朱其石、劉希淹、馬震	李寶嘉、方鎬
1907年	葉豐、武中奇、丁吉甫、趙耕石、齊燕銘、高月秋、頓立夫、黃思潛、趙林、吳振平、白蕉、高迥	
1908年	郭味蕖、李天馬、金曼叔、任熹、田叔達	釋竹禪、江犖、載景遷、周保善、黃士陵
1909年	徐培基、童雪鴻、陸儼少、衛東晨、林景穆、張祥凝、潘主蘭	劉鶚、管念慈

1910年	馮建吳、陳夷同、方小石、方近汶、劉泳庵、唐云、黃文寬、徐任天、馮星伯、朱暉、王壯爲、張敬	胡钁、吳沃堯、吳誦清、陳豪
1911年	孫靜子、胡鐵生、謝義耕、曾紹杰、趙雪樓、陳左夫、周菊吾、林天衣、莊蝶庵	孫文楷、端方、金鑑
1912年	唐鍊百、柴子英、劉博琴、陳大羽、戚叔玉、陳長風、于希宁、葉隱谷、易越石	梁于渭
1913年	嚴敬子、馬海髯、羅繼祖、謝梅奴、曹鎭、徐永基、方約	
1914年	秦康祥、蔡謹士、王紹尊、王哲言、劉自讀	盛樾、金度
1915年	許霏、黃綺、高石農、沙曼翁、高甜心、顧振樂、沈覺初	楊守敬、鄧肇新、汪洵、莫兆熊、鈕嘉蔭
1916年	徐孝穆、陳壽榮、徐翼、何筱寬、林萱孫、王爵、胡若思、蔣維崧、魏之禎、汪統	徐善聞、周明錦

1917年	黃葆樹、矯毅、傅大　、朱景源、曼君、孫龍父	葉昌熾、金爾珍、楊寶鏞、鍾甤申、樊葆鏡、張祖翼、沈汝瑾
1918年	承名世、婁師白、仲貞子、張人希、李駱公、劉穎白、陳左黃、任書博、謝博文	王石經、鄭文焯、徐淇、蘇玄瑛
1919年	葉一葦、羅叔子、陳丹誠、鄧大川、張邯、許亦農	姜筠、王爾度
1920年	祝祥、孫其峰、何樂之、吳志源、李滋煊、吳平、湯成沅、楊一青	惲彥彬、伍德彝
1921年	魏樂唐、單孝天，徐植、徐琢、王一羽、秦士蔚、程十髮、高式熊、吳朴、周哲文、曹立庵	高邕、羅福萇
1922年	陳秉冒、王京盙、方去疾、曾右石	范松、吳琛、吳隱
1923年	王荷、林泝	陳衡恪、黃霖澤、胡柏年
1924年	王伯敏、江成之、李伏雨、江兆申	胡傳湘

1925年	王土曾、田原、黃永年、谷景岳、呂邁、李立	徐新周、何維朴、汪洛年、宋景維、林蘭滄、陶瑢
1926年	王北岳、李大木、劉江、潘德熙、忻可權、呂國章、符驥良、康殷、李世諱	金城
1927年	梁乃予、陳昭貳、馮文湛、楊宇云、唐積堅、陳仲芳、桑愉	吳昌碩、周佑　、葉德輝、吳涵
1928年	蘇白、郁重今、孔平孫、吳覺遲、何繼賢、沈受覺、張心白	吳淦、汪大燮
1929年	劉友石、周昌谷、楊明華、褚涵	李楨、錢世權、錢衡成
1930年		姚華、丁世嶧、顧麟士黃樹濤
1931年	周世榮	袁克文、高迥
1932年	馬國權、徐永年、黃煥忠、林乾良	時振奎、何朴
1933年	張用博、華非	趙石、周慶云、杜桃霖、雷悅、周承德、葉玉森、汪榮寶

年份		
1934年		許之衡、潘飛聲
1935年		陳寶琛、吳澤、郭蘭枝、郭似壎、夏壽田、吳寶驥
1936年	吳慎、丁茂魯	魯迅、瞿秋白
1937年		張延禮、費硯、董井、劉之灝、季厚鎔、俞宗曜
1938年	胡寄樵	龐裁、郭蘭祥、俞云、劉希淹、李鍾、經享頤、諸聞韻
1939年	劉云鶴	
1940年	韓天衡	羅辰玉、陳夷同、厲良玉、歐陽楨、祁崑
1941年	方勝、張郁明、周澄	易熹、蔡守
1942年	余正、林健、林劍丹、蘇天賜	宣哲、褚德彝、李息
1943年	陳復澄、馬士達、劉云鶴	

1944年	熊伯齊、朱關田、蔣永義、茅子良、李元茂、湯兆其、陳坤一	鄒韜奮、李慶霄
1945年	薛平南、王多齡、張維琛、梁順煒	王雪民、李尹桑、趙時棡
1946年	童衍方、蔡雄祥、黎伏生、茅大容、陳茗屋、陳約蔡	葉祥本、夏鑄、聞一多、陳子淸
1947年	徐云叔、陳穆之	孟昭鴻、王孝煊、符鑄
1948年	張統良、黃惇、王鏞、陸康、黃崇鏗、陳正隆、徐順從、趙明川	葉爲銘、喬曾劬、季厚壽
1949年	林舒祺、鄧昌成、袁雪山、龐書田、劉一聞、蘇士澍、徐國富、陳波、林舒祺	余紹宋、丁仁、陳漢弟、吳澂、雷恪
1950年	莊新興、劉石開、楊式昭、林瓊峰	樓村、壽璽、簡經綸、王師子、馮漢
1951年	王惠國、傅其倫、王運天、王德之、陳澤群、吳耀輝	方約、武鍾監、孔云白

1952年	祝逡之、鄭多鏗	柯昌灔、郭則豫、高時顯、徐楨立、彭祖澤、鄭昶
1953年	徐夢嘉、賴信賢、甘錦城	戚繼棠、吳雅之、黃石
1954年	楊秀宣、黃嘗銘、黃勁挺、陳宏勉	鄧爾雅、方若、周肇祥、馮迥、周振
1955年	林淑女、吳甌、蘇友泉、阮常耀、謝慶興、許培明、吳朝鴻	黃質、馬衡、童大年、趙云壑、黃賓虹
1956年	陳振濂、朱琇嬰、紀乃石、張嚴正、蔡萬全	陳運彰、李健、陳融、李栖云
1957年	薛志揚、張禮權	齊白石、徐宗浩、楊浣石

（註七二）

註　釋

註　一：武文斌，齊白石之藝術造詣（復興崗學報，民國七十一年六月，第二十七期），頁四五二。

註　二：林浩基，彩色的生命（北平：中國青年出版社，一九八七年），頁十七。

星斗唐，有著美麗的傳說：很早以前，一個仙人關心這裡的一片稻田水源困難，便從天上扔下一快大石頭來，把地面砸了一個大窟窿，變成了塘，後來人們就叫它星斗塘。

註　三：易恕孜，齊白石傳（一）（中外雜誌，民國六十二年二月，第十三卷第二期），頁六。

註　四：同註一。

註　五：齊白石口述、張次溪筆錄，白石老人自述（台北：傳記文學出版社，民國五十六年），頁七。

六年），頁七。

註　六：同前註，頁二二。

註　七：同前註，頁二四。

註　八：同前註，頁二九。

註　九：同前註，頁二九。

註　十：蔣勳，齊白石（台北：雄師圖書公司，民國七十六年，三版），頁七六。

註十一：周千秋，木匠出身的大畫家。中國歷代創作畫家列傳（台北：藝彩圖書公司，民國六十三年），頁二四〇。

註十二：洪雲龍，齊白石藝術創作研究（文化大學藝術研究所碩士論文，民國六十四年六月），頁十八。

註十三：同註五，頁三六。

註十四：王仲章，全能的藝彩家─齊白石。中國名畫家個史之研究（台北：太陽城出版社，民國六十四年），頁二六〇。

　　　　他名叫胡自倬，號沁園，又號漢槎，能寫漢隸，善工筆畫花鳥草蟲，詩也做得異常清麗。家中收藏了不少的名人字畫，供白石老人欣賞臨摹。

註十五：同前註。

　　　　陳作壎，號少蕃。學問很好，也是湘潭的名士。

註十六：李應強，從齊白石題跋研究白石老人（台北：文史哲出版社，民國六十六年），頁十。

註十七：同註十二，頁二二。

註十八：同註五，頁五五。

　　　　名培鑾，又名德恂，是黎雨民的本家。

註十九：同註五，頁五七。

除了我(齊白石)和王仲言、羅眞吾、醒吾弟兄，還有陳茯根

、譚子荃、胡立三一共是七個人，人家稱我們爲龍山七子。

註二十：同註十六。

註二一：譚慧生編撰，民國偉人傳記、齊白石（ 高雄；百成書局，民

國六十五年 ），頁五〇三。

註二二：王北岳，篆刻藝術（ 台北：漢光文化事業股份有限公司，民

國七十九年，九版 ），頁一一八。

註二三：同註二一，頁五〇四。

註二四：易恕孜，齊白石傳(二)（ 中外雜誌，民國六十二年三月，第

十三卷第三期），頁一一一。

樊樊山爲晚淸時代之大詩人。

註二五：同註十六，頁十。

註二六：安萍，白石老人逸事──日本文人看齊白石（ 香港：明報月

刊，一九六九年十二月，第四卷第十二期 ），頁四二。

註二七：同註五，頁六八。

註二八：鳳翔，齊白石篆刻（ 香港：明報月刊，一九七〇年三月，第

五卷第三期 ），頁五五。

註二九：吳相湘，名畫家齊白石是木匠出身（ 傳記文學，民國七十三

年七月，第四十五卷第一期 ），頁二十。

註三十：同註十四，頁二六七。

註三一：同註二一，頁五〇八。

註三二：羊汝德，多采多姿的齊白石。大畫家小故事（台北：大江出
　　　　版社，民國五十九年），頁九四。

註三三：同註十六，頁十二。

註三四：同註二，頁三一四。

註三五：同註一，頁四五八。

註三六：同註十六，頁十三。

註三七：易恕孜，齊白石老人生平略記。齊白石口述、張次溪筆錄，
　　　　白石老人自述（台北；傳記出版社，民國五十六年），頁一
　　　　四六。

註三八：同註一，頁四五八～四五九。

註三九：同註三七，頁一六一。

註四十：關國煊，試續編「齊白石年譜」（傳記文學，民國七十三年
　　　　二月，第四十四卷第二期），頁一一三。

註四一：同前註，頁一一四。

註四二：同前註，頁一一五。

註四三：戚宜君，齊白石外傳（台北：世界文物出版社，民國七十九
　　　　年，四版），頁十七。

註四四：同前註。

註四五：同註五，頁九。

註四六：同註五，頁九。

註四七：本年表參考書目：

胡適，齊白石年譜。台北：胡適紀念館，民國六十一年。

關國煊，試續編「齊白石年譜」。傳記文學，民國七十三年月，第四十四卷第二期。

何恭上編，齊白石畫集「齊白石年表」部份。台北：藝術圖書公司，民國六十二年。

中央公論社編，文人畫粹編第十卷「齊白石年譜」部份。東京：中央公論社，昭和五十二年。

洪雲龍，齊白石藝術創作研究，年表部份。文化大學藝術研究所碩士論文，民國六十四年。

章蕙儀，齊白石山水畫之研究，年表部份。文化大學藝術研究所碩士論文，民國七十一年。

齊白石口述、張次溪筆錄，白石老人自述。台北：傳記文學出版社，民國五十六年。

馬達為輯述，齊白石年表。香港：名家翰墨，一九九一年三月，總第十四卷號。

足立豐讀、齊白石口述、張次溪筆錄，齊白石「人と藝術」中齊白石、吳昌碩對照略年表部份。東京：二玄社，一九七八年，再版。

註四八：王北岳，篆刻述要（台北：國立編譯館，民國七十五年，三
　　　　版），頁三五。

註四九：同前註。

註五十：錢君匋、葉潞淵，中國璽印源流（台北：華聯出版社，民國
　　　　六十一年），頁十。

註五一：葉宗鎬，傅抱石的篆刻藝術（香港：名家翰墨，一九九〇年
　　　　十月，第九卷），頁一三八。

註五二：方挽華，吳昌碩的篆刻藝術研究（文化大學藝術研究所碩士
　　　　論文，民國六十九年），頁三五。

註五三：藝文印書館編，藝文叢輯（台北：藝文印書館，民國六十七
　　　　年，第十四編），頁二〇四。

註五四：吳友琳，何謂鄧派。上海古籍出版社編，古代藝術三百題（
　　　　上海：上海古籍出版社，一九八九年），頁一七一。

註五五：同註五二，第二十六編，頁六。

註五六：王北岳，浙派與皖派（篆刻年刊，民國七十一年，第一期），
　　　　頁二十。

註五七：包世臣，藝舟雙楫疏證（台北：華正書局，民國七十九年），
　　　　頁十一。

註五八：同註五六。

註五九：同註四八，頁四六。

註六十：楊逸編，海上墨林(台北：文史哲出版社，民國六十四年)，
　　　　條目第四七七。

註六一：傅抱石，中國篆刻史述略(香港：美術家，一九八○年二月
　　　　，第十二期)，頁七一。

註六二：同註四八，頁四四～四五。

註六三：王家誠、吳昌碩生平及其藝術之研究(台北：藝術家出版社
　　　　，民國七十三年)，頁八八。

註六四：吳清輝，中國篆刻學(杭州：西冷印社，一九九○年)，頁六
　　　　七。

註六五：同註四八，頁四九。

註六六：同註四八，頁四九。

註六七：村松映，南吳北齊的世界。中央公論社編，文人畫粹編(東
　　　　京：中央公論社，昭和五十二年，第十卷)，頁一○八。

註六八：蘇友泉，師院篆刻教學之研究(台南：供學出版社，民國八
　　　　○年)，頁八三。

註六九：同註四八，頁四七～四八。

註七十：錢君匋，中國璽印的嬗變。印學論叢(上海：西冷印社，一
　　　　九八七年)，頁十一。

註七一：同註四八，頁四九。

註七二：本表參考書目：

韓天衡，中國印學年表。上海：上海書畫出版社，一九八七年一月。

柴子英，印學年表。西泠印社編，印學論叢。杭州：西泠印社，一九八七年七月。

印證小集，印證小集集刻文壽承刀法論。台北：印證小集，民國七十九年二月。

第二章 齊白石篆刻藝術的溯源
與其風格的演變

第一節 篆刻藝術的溯源

齊白石最初學習刻印的時間，有兩個說法，而且此二說皆出自他本人，時間不但不一致，而且相差甚遠，故值得探討。其中一個是，他在「白石印草」自序中一云：

「余之刻印，始於二十歲以前，最初自刻名字印，友人黎松庵借以丁、黃印譜原拓本，得其門徑。後數年，得『二金蝶堂印譜』，方知老實為正，疏密自然，乃一變。再後喜『天發神讖碑』，刀法一變。再後喜『三公山碑』，篆法一變。最後喜秦權縱橫平直，一任自然，又一大變。」(註一)

另外一個就是，他三十四歲時，在「白石老人自述」中卻說：

「光緒二十二年(丙申、一八九六)，我三十四歲。我起初寫字，學的是館閣體，到了韶塘胡家讀書以後，看了沁園，少蕃兩位老師寫的，都是道光年間我們湖南道州何紹基一體的字，我也跟著他們學了。又因詩友們，有幾位會寫鐘鼎篆隸，兼會刻印章的，我想學刻印章，必須先會寫字，因之我在閒暇時候，也常常寫些鐘鼎篆隸了。」(

註二）

又說：

「朋友中間，王仲言、黎松安、黎薇蓀等，卻都喜歡刻印，拉我在一起，教我一些初步的方法，我參用了雕花的手藝，順著筆畫，一刀一刀的削去，簡直是跟了他們，鬧著玩兒。」（註三）

前述「白石印草」自序，說是他在二十歲以前開始學習刻印，後述「白石老人自述」，則是說他在那樣的情況之下，即三十四歲時才開始學習刻印。兩書記載，在時間上相差至少十四年。上述關於他始習刻印的時間兩說究以那一說爲準確，現已無法考定。但從現有資料分析，他刻印「始於二十歲以前」之說較不合乎篆刻歷程。其原因爲：

第一，從「白石老人自述」中可知，他二十歲以前所接觸的人中，沒有會刻印的。

第二，他是二十七歲時認識當地文人名士胡沁園、陳少蕃，拜師學畫和詩文，他在「往事示兒輩」詩中曾說：

「村書無角宿緣遲，廿七年華始有師。」（註四）

且兩位老師都不會刻印。

第三，他三十歲以後在「白石老人自述」中說：

「一批勢利鬼，看不起我是木匠出身，畫是要我畫了，卻不要題款。」（註五）

可見這時他的字寫得並不好，更不用說刻印，而且上引「白石老人自

述」已明白地說：因受詩友的影響，「我想學刻印章」，朋友「教我一些初步的方法」，這說明他在這之前還未學習過刻印，(註六)頂多是偶爾涉獵而已。

記敘他最早刻印的時間是在他三十二歲時。他在「白石老人自述」中說：

「前二年(光緒二十年，齊白石三十二歲)，我在人家畫像，遇上了一個從長沙來的人，號稱篆刻名家，求他刻印的人很多，我也拿了一方壽山石，請他給我刻個名章。隔了幾天，我去問他刻好了沒有？他把石頭還了給我，說：『磨磨平、再拿來刻！』我看這塊壽山石，光滑平整，並沒有什麼該磨的地方，既是他這麼說，我只好磨了再拿去。他看也沒看，隨手擱在一邊。又過了幾天，再去問他，仍舊把石頭扔還給我，說：『沒有平，拿回去再磨磨！』我看他倨傲得厲害，好像看不起我這塊壽山石，也許連我這個人，也不在他的眼中。我想：何必為了一方印章，自討沒趣。我氣忿之下，把石頭拿回來，當夜用修腳刀，自己把它刻了。第二天一早，給那家主人看見，很誇獎的說：『比了這位長沙來的客人刻的，大有雅俗之分。』我雖覺得高興，但他自知，我何嘗懂得篆法刀法呢！我那時刻印，還是一個門外漢，不敢在人前賣弄。」(註七)

這當是現有資料中，他最早刻印的記載。現另據其他後人的見解敘於下。

張次溪說：

「齊白石先生詩、文、書、刻，均有卓越風格，惜為畫名所掩。中年名漸起，應長沙某家之聘，至省垣，適同輩某善刻印，求者踵門，日必數起，先生雅慕之，以石一方相求，某佯應之，迄未奏刀，一再相懇，乃囑先生將石磨平，庶可應命。先生信以為真，遂將石磨平，送往某所，某順手置案旁。逾日問之，則謂石仍不平，無法鐫刻，須再磨，先生亦應之，某仍謂不可。先生恚甚，取石回，乘夜用日常修腳刀自行鐫刻，次晨為主人所見，譽不絕口，謂先生較某所刻有雅俗之分，先生喜極。經此一番小試，益覺天下無難事，只怕有心人。暇時輒尋求名家印譜，加意摩刻，就正通人，此先生從事鐫刻之動機也。」（註八）

這裡很清楚地說明了齊白石開始學習篆刻的動機。

又易恕孜先生說：

「白石老人學習刻印，是在能畫、能詩、能書之後，那時候他已經三十歲了，初由他的詩友黎松安、黎薇蓀諸人教他一些初步的方法因他是個雕花的巧匠，又肯勤苦好學，莊敬自強。」（註九）

由於他的好學，所以能在畫、詩、書之後又開始學習篆刻，況且畫法與篆刻又有互通聲息之處，因此他雖在三十多歲開始學習篆刻，卻能另闢蹊徑，在篆刻藝術上大放光彩。

王師北岳也說：

「白石老人刻印，始於三十四歲前後，因為與王仲言、羅真吾、醒吾兄弟、陳茯根、譚子荃、胡立三七人組成『龍山詩社』，之後黎松安又以組成『羅山詩社』，龍山七友均參加，白石老人往來於詩社，談文作詩，社友中有能寫鐘鼎篆隸和刻印章的，他也就跟著學習。」（註十）

胡適引黎錦熙的話，說：

「白石三十四歲。白石此年始講求篆刻之學。時家父與族兄鯨痷正研究此道，白石翁見之，興趣特濃厚。」（註十一）

齊良憐也說：

「父親學習刻印的興趣，是在三十歲以後，受龍山詩社詩友們的影響。」（註十二）

齊佛來也說：

「祖父對金石篆刻，也很感興趣。他曾對我說：『我在三十三歲時，看到王仲言、黎松痷兩社友學刻印章，不禁兩手也癢起來，便和他們一起摹刻。開始是仿浙派西泠八家的丁敬和黃易的刀法。』」（註十三）

從以上記載和分析可以看出，齊白石在三十二歲時自己曾學過刻印，但到三十四歲時才正式向朋友學刻印的具體方法。

第二節　篆刻藝術風格的演變

齊白石篆刻藝術風格的演變可分為四期：

甲、摹擬期——他師事於黎鐵庵兄弟之後，又模仿丁敬、黃易兩家的刀法。(註十四)(三十四歲～四十二歲)

乙、蛻變期——一直到他得到了趙之謙的「二金蝶堂印譜」，才轉攻趙之謙的刻意，同時融合了漢印的格局，他的刀法遂為之一變，其古樸、雋永之趣，頗為耐人尋味。(註十五)同時他也受了黃牧甫、吳昌碩和陳師曾的影響，因為民國以來吳的印風頗為風行，而齊白石和陳師曾的關係亦師亦友，故其篆刻中自然有陳的味道。(四十三歲～六十歲左右)

丙、成熟期——他見到「天發神讖碑」，受其影響，刀法隨之又一變。之後，經其鑽研「三公山碑」，於是刀法、篆法再度為之一變。他又樂學秦權，縱橫平直，一任自然，(註十六)此後其刊石之法又一大變。筆者把這一期叫做「篆刻的衰年變法」。(六十一歲～七十歲左右)

丁、老年期——這一期也可以說是他篆刻藝術顛峰時期。他到了晚年，邁進天人合一之境，落刀乾淨利落，一去不回，刀法中底蘊著書法的意趣，高古中潛藏著雋雅，樸素中涵孕著靈秀，運刀之勁健雄渾，風格之放曠獨特，真是驚駭同道，動古撼今。(註十七)(七十一

歲～九十七歲）

齊白石在「白石老人自述」中說：

「我的刻印，最早是走的丁龍泓、黃小松一路，繼得『二金蝶堂印譜』，乃專政趙撝叔的筆意。後見『天發神讖碑』，刀法一變，又見『三公山碑』，篆法也為之一變。最後喜秦權，縱橫平直，一任自然，又一大變。」（註十八）

又說：

「我刻印，同寫字一樣。寫字，下筆不重描，刻印，一刀下去，決不回刀。」（註十九）

由此可見他篆刻藝術風格的演變。

他從苦學實踐中徹悟到「刻」字的精義，所以他沒有被「摹、作、削」刻道三病所害。其篆刻之所以矯健蒼古，冥通奇奧，出俗入神，契合天機者在此，靜觀他的篆刻，耳鬢確有呼呼風聲之感。（註二十）

為了更明瞭他篆刻藝術風格的演變，以下就此四期加以分析：

甲、摹擬期

齊白石自從用修腳刀刻一方名章後，好像有了金石癖似的。他跟著黎松安猛刻印章，從黎處得到一些篆刻初步的方法。他有自述學習印的經過情形說：

「黎桂塢的弟弟薇蓀、鐵安，都是會刻印章的，鐵安尤其精深，我就向他請教：『我總刻不好，有什麼方法辦呢？』鐵安笑著說：『南泉坤的楚石，有的是！你挑一擔回家去，隨刻隨磨，你要刻滿三四個點心盒，都成了石槳，那就刻得好了。』這雖是一句玩笑話，卻也很有至理。我於是打定主意，發憤學刻印章，從多磨多刻這句話上著想，去下功夫了。」（註二一）

又接著說：

「黎松安是我最早的印友，我常到他家去，跟他切磋，一去就在他家住上幾天。我刻著印章，刻了再磨，磨了又刻，弄得我住的他家客室，四面八方，滿都是泥槳。他還送給我丁龍泓、黃小松兩家刻印的拓片，我很想學他們兩人的刀法，只因拓片不多，還摸不到門徑。」（註二二）

黎松安是齊白石治印的眞正啓蒙者，不但在方法上曾予指授，而且他把丁敬、黃易兩家刻印的拓片送給齊白石，齊白石對此很感興趣，開始專擬丁黃。第二年，黎薇蓀又從四川寄來丁黃的印譜，可供學習的資料豐富了，鑽研也就愈勤。

胡適在「齊白石年譜」中引黎錦熙的話，說：

「家父的松翁自訂年譜載，自丙申至戊戌（即自三十四歲至三十六歲）共刻印約百二十方，己亥（三十七歲）又摹丁黃印二十餘方，這幾年白石與家父是常共晨夕的，也就是他專精摹刻圖章的時候。他從

此『鍥而不捨』，並不看做文人的餘事，所以後來獨有成就。」（註二三）

　　齊白石後來在兩首題爲「憶羅山往事」的詩中，對當時學習刻印的經過曾有生動的描述。他在詩中云：

　　「石潭舊事等心孩，磨石書堂水亦災。同雨一天拖雨屐，傘扶飛到赤泥來。」

　　又云：

　　「誰云春夢了無痕，印見丁黃始入門。今日羨君贏一著，兒爲博士父詩人。」（註二四）

詩中提到的「磨石書堂水亦災」，說的是他住在黎松安家裡時，刻印磨了又刻，刻後再磨，弄得黎家的客室盡是石漿的往事。

　　齊白石在「白石老人自述」中說：

　　「我的刻印，最早是走的丁龍泓、黃小松一路，繼得『二金蝶堂印譜』，乃專攻趙之謙的筆意。後見『天發神讖碑』，刀法一變，又見『三公山碑』，篆法也爲之一變。最後喜秦權，縱橫平直，一任自然，又一大變。光緒三十年以前，摹丁、黃時所刻之印，曾經拓存，湘綺師給我做過一篇序。」（註二五）

他臨摹「浙派」名家丁敬、黃易的作品，如他三十六歲所刻的「我生無田食破硯」一印（註二六，看圖），此印是仿丁敬的。又如他所刻的「身健窮愁不須恥」（註二七，看圖）、「黃龍硯齋」（註二八，看圖）、「誦清閣所藏金石文字」（註二九，看圖），這些印都他在三十多歲

時取法<u>浙派</u><u>丁敬</u>，<u>黃易</u>的作品。由於研習精到，<u>丁敬</u>的古拗峭折，<u>黃易</u>的醇厚淵雅，都熔鑄到他的寸鐵中來。他的成績已可和「<u>浙派</u>」前輩並駕齊驅，篆刻聲名亦漸漸鵲起。

<u>傅抱石</u>先生在「白石老人的篆刻藝術」一文中提到，<u>齊白石</u>在他的舊作「西瓜草蟲」一畫中，根據「天琴琴天同賞」一印，題了一段跋，最後說：「其下左角之印有『天琴琴天同賞』六字，此印係予三十歲爲<u>樊山</u>翁刻也。」此印是仿<u>丁</u><u>黃</u>印派的，因而<u>抱石</u>先生認爲，<u>齊白石</u>在三十歲時刻的就很不錯了。其實，<u>齊白石</u>最初與<u>樊山</u>訂交是在四十歲，不是三十歲，訂交時是給<u>樊山</u>刻了一批印章的。<u>齊白石</u>自題之誤，使<u>抱石</u>先生也弄糊塗了。但這段題跋倒告訴了我們，他到四十歲時，走的仍是<u>浙派</u>的路子。(註三十)

<u>齊白石</u>最早以刻印爲活，是四十歲時在<u>西安</u>開始的，由<u>樊樊山</u>爲訂潤例。根據他四十歲時的自述，他說：

「<u>樊山</u>送了我五十兩銀子，作爲刻印的潤資，又替我訂了一張刻刻印的潤例(註三一)，親筆寫好了交給我。」(註三二)

後來<u>樊樊山</u>又替<u>齊白石</u>訂了一張繪畫刻印的潤例。(註三三，看表)

乙、蛻變期

<u>齊白石</u>四十三歲以後，有一種篆刻上的變化。他在四十三歲時自述中說：

「人家說我出了兩次遠門作畫寫字刻印章，都變了啦，這確是我改變作風的一個大樞紐。」（註三四）

他四十三歲時，正好地在<u>黎薇蓀</u>家裡，見到<u>趙之謙</u>的「二金蝶堂印譜」。他在「白石老人自述」中說：

「在<u>黎薇蓀</u>家裡，見到<u>趙之謙</u>的『二金蝶堂印譜』，借了來，用硃筆鈎出，倒和原本一點沒有走樣。從此，我刻印章，就摹倣<u>趙撝叔</u>的一體了。」（註三五）

這段記載，給了我們兩點啓示：

㈠<u>齊白石</u>當時對<u>趙之謙</u>的篆刻藝術風格，有了深刻的理解，非常崇拜，否則，在他已入<u>丁黃</u>門徑之後，怎麼還將「二金蝶堂印譜」用硃筆一點不走樣的鈎出！費了這麼大的工夫，無非是想學習。

㈡<u>齊白石</u>學習前人的方法不是「意臨」，而是極其嚴肅認眞，忠實原稿，臨摹的「和原本一點沒有走樣」。

從此以後，他發現了篆刻的新境界，進而潛心研究<u>趙之謙</u>的筆意與刀法，經過一番體會，觀摩比較，不斷的臨摹，始瞭然於老實爲正及疏密之理，刀法一變。如他所刻的「小名阿芝」（註三六，看圖）、「虎公」（註三七，看圖），兩方印都是仿<u>趙之謙</u>法之作。又如他四十八歲所刻的「觀餅之居」一印（註三八，看圖），此印間架方整，受<u>趙之謙</u>影響可見一斑。又例如他五十二歲所刻的「樂石室」一印（註三九，看圖），此印用的純是<u>趙之謙</u>的家數。

在一九三八年給他的學生周鐵衡作印序中，他說：

「刻印者能變化而成大家，得天趣之渾成，別開蹊徑，而不失古
碑之刻法，從來唯有趙撝叔一人。予年已至四十五時，尚師『二金蝶
堂印譜』，趙之朱文近娟秀，與白文篆法異，故予稍稍變爲剛健超縱
，入刀不削不作，絕摹仿，惡整理，再觀古名碑刻法皆如是，苦工十
年，自以爲刻印能矣。」（註四十）

這番話，不但傾吐出對趙之謙的敬佩，實際上也是從摹仿到創作的自
我回顧。趙氏的篆刻藝術，比起丁、黃來，不但取材廣博得多，而且
有筆有墨，風神跌宕。趙氏試用的單刀直切法，給齊白石後來自創體
貌以很大的影響。（註四一）

又在他所刻的「淨樂無恙」一印裡，款云：

「余刊此石，無意竟似撝叔先生，人皆以爲大好矣。余不能去前
人之窠臼。慚慚愧愧。白石並記。」（註四二）

齊白石在趙之謙作品的薰陶濡染之下，研索了十多年之久。他不
只是向趙氏學習，臨摹趙氏的作品，並從而加以改進；他認爲趙氏刻
朱文近娟秀，與白文之篆法異趣。他於此更進一步，不完全取法於趙
氏，能於娟秀中別見剛健超縱之氣，這是齊白石在吸收前人經驗後的
大蛻變。

齊白石也受了黃牧甫、吳昌碩、陳師曾的影響。傅抱石曾說過：

「老人的刀法，也是獨具一格的。古今印人裡，以刀法見長的可

謂不少。....近一點的像趙之謙、黃士陵，再近一點像和老人同輩的吳昌碩、陳衡恪，在刀法上都各有獨特的精到處，或以秀逸(溫和)勝，或以雄渾(猛利)勝，或柔或剛，各有不可磨滅的成就。」(註四三)

　　王師北岳也說：

　　「他(吳昌碩)的印風，支配了民國以來的篆刻界，陳師曾、齊白石、趙古泥等，便都受了他的影響。」(註四四)

如齊白石所刻的「顧廬」一印(註四五，看圖)，此印的刀法、章法、筆法均有吳昌碩的味道。

　　王師北岳又說：

　　「學他(黃牧甫)的人很多，易大厂、李茗柯、鄧爾雅、馮康候、壽石工、金禹民、喬大壯等都是。齊白石早期的印也受了他的影響。」(註四六)

如齊白石五十五歲所刻的「譚祖盦考藏金石文字之印」一印(註四七，看圖)，此印的布白、刀法均有黃牧甫的味道。

　　熊伯齊在「榮寶齋藏印淺說」中，批評齊白石五十五歲所刻的「枕善而居」一印(註四八，看圖)說：

　　「當持白石尚未變法，布白、刀法均有陳師曾的味道，唯用字較板，刀法更猛厲。」(註四九)

其實陳師曾與齊白石在朋友之間的交往，及勸齊白石變法的事，是眾所周知的。故齊白石有時云：

「君(<u>陳師曾</u>)無我不進，我無君則退。」(註五十)

充滿著對<u>陳師曾</u>的知遇和感激心情。

我們可以知道，蛻變時期的<u>齊白石</u>篆刻，除了<u>趙之謙</u>之外，也吸收了當代及同輩名篆刻家的寶貴經驗。

然而，蛻變時期後半<u>齊白石</u>的篆刻，以「三公山碑」的篆法，運用<u>趙之謙</u>在章法的注意聚散，以及「天發神讖碑」的刀法來刻印。(註五一)如「楊昭儁印」、「視道如華」、「恐青山笑我今非昨」、「三百石印富翁」、「木居士」、「老齊」等印(註五二，看圖)，都是自創面目的嘗試。他在辛酉年，也就是他五十九歲的時候，曾有題記寫道：

「刻印，其篆法別有天趣勝人者，唯<u>秦漢</u>人有過人處在不蠢，膽敢獨造，故能超出千古。余刻印不拘古人繩墨，而時俗以爲無所本，余嘗哀時人之蠢，不思<u>秦漢</u>人，人子也，吾儕亦人子也，不思吾有獨到處，如令昔人見之，亦必欽仰。」(註五三)

由此可見<u>齊白石</u>對自己的創造是充滿自信的。

丙、成熟期

<u>齊白石</u>擺脫摹倣，自行創造，而漸臻成熟之境，是他年六十歲時才開始的。

<u>王師北岳</u>說：

「齊白石，六十歲以後才樹立屬於自己的大刀闊斧而極寫意的風格。」（註五四）

又王壯為說：

「他（齊白石）五十五歲定居北平法源寺，這時他的印又雄渾了許多。但還不是後來他的代表作那種一刀一畫的刻法。大約在六十歲至七十歲之間，才達到他使刀如筆的功夫。」（註五五）

齊白石在吸收了前代名家的寶貴經驗之後，渴望刻印的新變法，十年如一日地苦心探求印風的推陳出新，終於在七十歲左右時，形成了朴野剛毅、雄肆淋漓的印章個性。

齊白石反對一般只臨摹古人作品而自己不敢著一筆的篆刻家：

「山外樓臺雲外峰，匠家千古此雷同。」（註五六）

「一笑前朝諸巨手，平鋪細抹死工夫。」（註五七）

他畫山水，主張多遊多覽，自得山川之助，所謂五嶽歸來筆下有奇氣。又有詩說：

「胸中山水奇天下，刪去臨摹手一雙。」（註五八）

因此孕育了他的獨創風格，（註五九）即他不滿意技法上的陳陳相因，要求創新變化，這一過程非常艱苦，是他藝術造詣傑出成就的關鍵，對這過程他稱為繪畫的「衰年變法」。（註六十）從他的篆刻來看，和他的繪畫一樣，六十歲以後，進入了篆刻的「衰年變法」。

藝術風格的更變是需要多次的自我否定才能達到的，而否定總是

痛苦的。但齊白石「決定大變，不欲人知，即餓死京華，公等勿憐，

乃余或可自問快心時也。」這種自我鬥爭和否定的痛苦，是別人難以

理解和相信的。故他深有感觸地寫到：

　　「想除風格總難能，十載關門始變更。老把精神苦拋擲，工夫深

淺自心明。」(註六一)

他為了「想除風格」，只有忍痛割愛，一次次自我否定，費盡心機，

上下求索，關門十載，方才見「始變更」。(註六二)他在這樣過程當

中，始終保持著清醒的頭腦和不斷進取、不斷自我否定的精神，使篆

刻作品一變再變。

　　齊白石除了篆刻的「衰年變法」之外，在鑽研秦權與漢魏碑版後

所得的研究成果是巨大的，直接影響了他的篆刻藝術。在前代篆刻家

的研究過程中，只能上溯到漢代，而他卻能突破前人的規範，向更前

的秦代文物學習，從而取得更始的資料，更古樸可喜的楷模；這種具

有濃厚金石氣的產品，在一定程度上啟發了他；再加上「天發神讖碑

」的剛猛雄奇，斬釘截鐵的筆法；「三公山碑」的筆畫方正，字字平

直的純陽路子，他眼界從此擴大了，胸襟遼闊了，下筆下刀，往往如

夾風雷！腕力之盛，氣象之雄，真如明代李日華(註六三)在評一篇元

人的文章中所說的「雄快震動，有渴驥怒猊之勢」，更兼他早年時做

過雕花匠，他是把雕花用的力量運用到篆刻上面來，刀鋒所及、力透

筋骨，這種功夫是不得了的！在篆法文字方面，他繼承並發展了秦漢

人「膽敢獨造」的精神，不但大篆、小篆、繆篆、隸書、人分，甚至楷書，加以變化，圓轉如意、奕奕有神地運用於篆刻上，(註六四)開創了自己的面目。如「戊午後以字行」一印(註六五，看圖)，是以先秦文字入印；「八硯樓」一印(註六六，看圖)，無疑是取法於「天發神讖碑」的意趣；而「以農器譜傳吾子孫」一印(註六七，看圖)，此印不拘原來框格的刻法，是周代彝銘和漢碑所習見的形式。可見「雕蟲垂老不辭勞」的齊白石，在篆刻創作上是十分講求變化和多式多樣的。(註六八)

從他六十歲以後成熟期的代表作品，如「老夫也在皮毛類」、「白石翁」、「故鄉無此好天恩」、「見賢思齊」、「不知有漢」、「魯班門下」、「半聾」、「與化余氏」等印(註六九，看圖)來看，可以肯定地說，他自己的風格已形成。其特點為：

㈠筆法結體已具備了自己的特色，筆畫中含碑意而不是碑中之字的「移位」。

㈡章法上脫出了丁黃、趙之謙的藩籬。

㈢刀法蒼渾雄快既有較強的「金石味」，而非浙派「切刀法」，既含趙之謙的「渾厚」，又有快利之感。(註七十)

丁、老年期

齊白石經過篆刻的「衰年變法」之後，他老年的篆刻，已進入他

個人的藝術境界，且不爲前人所囿。他七十二歲時，在「白石老人自述」中說：

「我刻印，同寫字一樣。寫字，下筆不重描，刻印，一刀下去，決不回刀。我的刻法，縱橫各一刀，只有兩個方向，不同一般人所刻的，去一刀，回一刀，縱橫來回各一刀，要有四個方向。篆法高雅不高雅，刀法健全不健全，懂得刻印的人，自能看得明白。我刻時，隨著字的筆勢，順刻下去，並不需要先在石上描好字形，纔去下刀。我的刻印，比較有勁，等於寫字有筆力，就在這一點。常見他人刻石，來回盤旋，費了很多時間，就算學得了這一家那一家的，但只學到了形似，把神韻都弄沒了，貌合神離，僅能欺騙外行而已。他們這種刀法，只能說是蝕削，何嘗是刻印。我常說：世間事，貴痛快，何況篆刻是風雅事，豈是拖泥帶水，做得好的呢？」（註七一）

他晚年論印有謂：

「操刀刻石，與執筆寫字無異。每刻一字，在能引刀迻刻，不必先在石面上寫字。蓋刻印一道，工力精通之後，是爲一種純藝術。普通雕刻者，祇是依式刻形，求工細，不講神韻。」（註七二）

又說：

「刻印與寫字完全相同，善書者，往往下筆不復重描，則字跡始有豐采。長於寫字者，絕不需用長時間，有揮亮落紙如雲之概；如此作字，則遒勁活潑，蓋與寫市招者不同。彼輩一筆之成，須經多次重

描；與童孩初學寫字時一筆落紙，輒復重描，此初學時如此則可，若永久如此，不會寫得好字。刻印亦後如是。刻印操刀，與下筆寫字，亦有不同。蓋寫字多用中鋒，刻字操刀多用偏鋒。通常刻印，爲求工整，一刀刺去，一刀刺回。如此統計，橫豎工作，即共爲四個方向。一般刻印者，往往四面下刀，甚至不分方向，任意轉動，刀鋒在石塊上隨處可下。此種刻法，爲余所不取。」（註七三）

從這些話中，我們可以知道他刻印的工夫是怎樣的，他刻印正寫字一樣，下刀從不重覆，表現出一種一氣渾成的氣勢，掃除了刻板式的刀法，更沒有了支離破碎現像。他這種開創性的精神，乾淨利落的技巧，淋漓痛快的刀法，是古往今來絕無僅有的。（註七四）

齊白石曾說：

「予之刻印，少時即刻意古人篆法，然後即追求刻字之解義，不爲『摹』、『作』、『削』三字所害，虛擲精神，人譽之，一笑；人罵之，一笑！」（註七五）

他概括地一針見血地指出了「摹、作、削」三個字──三種致命的病症。據傅抱石先生的理解：一不死摹古人；二不矯揉造作；三不像削什麼似的刻得光光的。在三個字中，他又最恨第一個「摹」字，到了晚年還曾直截了當地對於于非闇先生說過：

「刻圖章不要學我，學我就是摹仿，沒有好處。」（註七六）

他在「題賀生印存」詩中云：

「做摹蝕削可愁人，與世相違我輩能，快劍斷蛟成死物，昆刀截

玉露泥痕。」(註七七)

唯其深諳「刻」字精義，才能脫離「摹、作、削」之害，而刻出意趣

自然古雅之印。

他癸酉(七十一歲)秋所編的「白石印草」，其序云：

「予戊辰年出印集後，所刻之刻印為外人購去拓本二百。此二百

印，自無制印集權矣。庚午、辛未二年所刻印，每印僅拓存六頁，得

六巨冊，每冊訂為十本，計印約五百方。壬申、癸酉二年，世亂至機

，吾獨不移，閉門讀書。有剝啄扣門求畫及篆刻者，不識其聲，卻之

。故篆刻甚少，只成印集四本，約印二百方，共得十冊。以上皆七十

衰翁以朱砂泥親手拓存四精力，人生幾何！雖餓殍長安，不易斗米，

是吾子孫珍重藏之，以待傾倒之知者。癸酉秋八月齊璜白石山翁自序

時居舊京。」(註七八)

從這一期(即老年期初)的作品中，可以發現一個奇怪的現象，即有部

分仿趙之謙的作品，這種「回歸」現象，大概是齊白石自己也覺察到

自己作品的風格還不夠「渾厚」，尚未潛沈下去，於是再來一個「回

馬槍」，乘「壬申、癸酉」世亂避刻之閑暇，重摹「二金蝶堂印譜」

，從中汲取「渾厚」之意，補己不足。(註七九)

他在「寄贈治園將軍」另一部印譜中的「老去無因啞且聾」一印

(註八十，看圖)眉批：

「此七十二歲時刊，不如中年所刊有心平氣和之態。」（註八一）

從這方印來看，雖然齊白石風格已很濃厚，但部分筆畫不但不夠「渾厚」，而且還有一些筆畫明顯地是「做」出來的，如「因」字右邊部分筆畫，其「大」字上半部分左邊和「耳」字最後一豎，「啞」字右邊「亞」中間兩豎，都較做作而又單薄。可見他自己認為「不如中年所刊有心平氣和之態」，是指鋒芒外露，缺少沈著「渾厚」之意。因為趙之謙「二金蝶堂印譜」中「會稽趙之謙字撝叔印」一印（註八二看圖）的邊款上刻有：

「息心靜氣，乃得渾厚。」

齊白石的「心平氣和」與趙之謙的「息心靜氣」大意是一致的，可見齊白石七十二歲時仍沒有放棄對「二金蝶堂印譜」的研究。（註八三）

但齊白石自己卻忽視了「中年所刊有心平氣和之態」的作品，不是齊白石風格的「心平氣和」，而是未完全脫去趙之謙衣缽的「心平氣和」，然而，可貴的是齊白石這時仍在已形成自己風格的作品中不斷發現問題，並找到了彌補問題的辦法——從臨摹「二金蝶堂印譜」中領悟「渾厚」之意。（註八四）

由此可見齊白石所謂不要「摹仿」二字的真正意思，他的意思是不要後輩死板板的摹仿。當然一個全無學習經驗的學生來說，初步臨摹是可以的，但到了一定程度，一定時間以後，便應該有所開創，歸還自己本來面貌，吸收前人的精華，從而創造了自己新的藝術生命。

「甑屋」、「齊大」、「我負人人當負我」、「大匠之門」、「吾狐也」、「借山門客」、「中國長沙湘潭人也」、「人長壽」等印（註八五，看圖），當為齊白石老年期的代表作品。這些作品整體上，既給人以縱橫歪倒，天眞爛漫之情趣；又有「快劍斷蛟」之氣勢；細看筆畫，又不失蒼勁、古拙、揮厚意味。更重要的是，這種感受只有他老年期的作品才有，而在他的風格未成熟之前和不同時代的其他篆刻家中，找不出一個能替代代這種感受的作者之作品，這便是「獨立門戶」的齊白石風格。

總而言之，齊白石的篆刻藝術是一個時期不同於一個時間，到九十歲以後，作品仍在變化，如「年九十」、「九十二翁」、「魏今非」等印（註八六，看圖），而且愈變愈純粹、洗練。可參照「齊白石篆刻藝術風格演變簡表」。

註 釋

註 一：齊白石，白石印草序。重慶博物館編，齊白石印匯（四川
：巴蜀書社，一九九〇年，二版），頁四。

註 二：齊白石口述、張次溪筆錄，白石老人自述（ 台北：傳記文學
出版社，民國五十六年），頁六十～六一。

註 三：同前註，頁六一～六二。

註 四：余毅然，齊白石畫集（ 台北：文化藝術公司，民國五十六年
十月），頁一八〇。

註 五：同註二，頁五四。

註 六：繆永舒，齊白石篆刻藝術風格的形成（ 北平：美術史論，一
九九一年，總第三十七期），頁八二。

註 七：同註二，頁六一。

註 八：張次溪，齊白石先生治印記。惲茹辛編，印林掌故(香港：
中山圖書公司，一九七三年九月)，頁一〇二。

註 九：易恕孜，齊白石傳(八)（中外雜誌，民國六十二年十月，第
十四卷第四期），頁五一。

註 十：王北岳，白石老人篆刻特色（ 印林，民國六十九年四月，第
一卷第二期），頁五。

註十一：胡適，齊白石年譜(台北：胡適記念館，民國六十一年)，頁十一。

註十二：齊良憐，我的父親──白石老人（藝文誌，民國六十八年五月，第一六七期)，頁四二～四三。

註十三：齊佛來，我的祖父白石老人（西安：西北大學出版社，一九八八年)，頁一九。

註十四：武文斌，齊白石之藝術造詣（復興崗學報，民國七十一年六月，第二十七期)，頁四六六。

註十五：同前註。

註十六：同前註。

註十七：同前註。

註十八：同註二，頁一一四～一一五。

註十九：同註二，頁一一七。

註二十：同註十四。

註二一：同註二，頁六二。

註二二：同註二，頁六二。

註二三：同註十一。

註二四：齊白石，憶羅山往事。韓天衡編，歷代印學論文選（上海：西泠印社，一九八五年)，頁一○二二。

註二五：同註二，頁一一四～一一五。

註二六：齊白石所刻：「我生無田食破硯」

註二七：齊白石所刻：「身健窮愁不須恥」

註二八：齊白石所刻：「黃龍硯齋」

註二九：齊白石所刻：「誦淸閣所藏金石文字」

註三十：馬國權，白石老人的篆刻（香港：名家翰墨，一九九一年三

　　　　月，總第十四號），頁八五。

註三一：同註十一，頁十七。

　　　「常用名印，每字三金。礦以漢尺爲度，石大照加。石小二

分，字若黍粒，每字十金。」

註三二：同註二，頁七二。

註三三：本表引自中國民俗學會編，齊白石鐵書（台北：東方文化書

局，民國七十年），頁四。參看表：

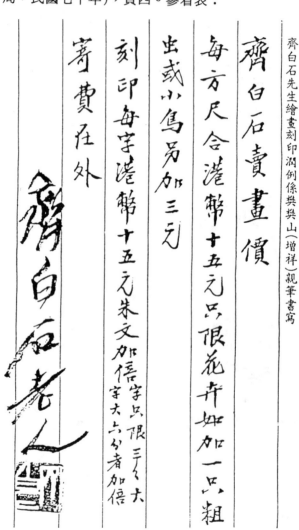

齊白石先生繪畫刻印潤例係奘奘山（增祥）親筆書寫

齊白石賣畫價

每方尺合港幣十五元只限花卉如加一只粗

虫或小鳥另加三元

刻印每字港幣十五元朱文加倍字只限三分大

僅字大六分者加倍

寄費在外

註三四：同註二，頁七七～七八。

註三五：同註二，頁七七。

註三六：齊白石所刻：「小名阿芝」

註三七：齊白石所刻：「虎公」

註三八：齊白石所刻：「觀餅之居」

註三九：齊白石所刻：「樂石室」

註四十：齊白石，半聾樓印草序。北平圖書館編，齊白石手批師生印

　　　　集，第五集四冊(北平：書目文獻出版社，一九八七年)，序

　　　　。

註四一：同註三十。

註四二：足立豐譯、齊白石著，齊白石「人と藝術」（ 東京：二玄社

，一九七八年，二版），頁六二。

註四三：傅抱石，白石老人的篆刻藝術（藝海雜誌，民國六十七年十二月，第四卷第二期），頁二二。

註四四：王北岳，篆刻述要（台北：國立編譯館，民國七十五年，三版），頁四九。

註四五：齊白石所刻：「顧廬」

註四六：同註四四，頁四八。

註四七：齊白石所刻：「譚祖盦考藏金石文字之印」

註四八：齊白石所刻：「枕善而居」

註四九：熊伯齊編，榮寶齋藏三家印選（北平：榮寶齋，年代不詳），頁一二四。

註五十：印林編輯委員會，白石老人小傳（印林，民國六十九年四月
　　　　，第一卷第二期），頁三。

註五一：同註十三，頁八六。

註五二：齊白石所刻：

「楊昭儁印」

「視道如華」

「三百石印富翁」

「恐青山笑我今非昨」

「木居士」

「老齊」

註五三：同註十三，頁八六。

註五四：王北岳，篆刻藝術（台北：漢光文化事業股份有限公司，民

　　　　國七十九年七月，九版），頁一一八。

註五五：王壯爲，談三石的書畫篆刻（香港：大成，一九七九年三月
　　　　，第六十四期），頁七。

註五六：同註四，頁一七六。

註五七：同註四，頁一七七。

註五八：同註四，頁一七四。

註五九：周千秋，中國歷代創作畫家列傳（台北：藝術圖書公司，民
　　　　國六十三年），頁二四五～二四六。

註六十：胡佩衡，白石老人衰年變法（香港：文匯報，一九五八年一
　　　　月十日）

註六一：同註四，頁一八一。

註六二：同註六，頁八九。

註六三：中文大辭典，第四冊（台北：文化大學出版部，民國七十四
　　　　年，七版），頁一六八八～一六八九。

　　　　明嘉興人。字君實、號竹懶、又號九疑、六研齋。萬曆進士
　　　　官至太僕少卿、恬淡和易、與物無忤、工書畫、精鑑賞、世
　　　　稱博物君子、王惟儉與董其昌並、而日華亞之。著有官制備
　　　　老、姓氏譜纂、檇李叢談、書畫想像錄、紫桃軒雜綴、竹懶
　　　　畫滕，六研齋筆諸書。

註六四：鳳翔，齊白石篆刻（香港：明報月刊，一九九○年三月），頁

　　五六。

註六五：齊白石所刻：「戊午後以字行」

註六六：齊白石所刻：「八硯樓」

註六七：齊白石所刻：「以農器譜傳吾子孫」

註六八：同註三十，頁八七。

註六九：齊白石所刻：

「老夫也在皮毛類」　　「白石翁」　　「故鄉無此好天恩」

「見賢思齊」　　「不知有漢」　　「魯班門下」

「半聾」　　「與化余氏」

註七十：同註六，頁八九。

註七一：同註二，頁一一七～一一八。

註七二：王壯爲，齊白石篆刻屑談（暢流，民國五十一年四月，第二十五卷第五期），頁二四。

註七三：同前註。

註七四：同註六四。

註七五：齊白石，印說。韓天衡編，歷代印學論文選（上海：西泠印
　　　　社，一九八五年），頁四五九。

註七六：同註四三，頁二一。

註七七：齊白石，題某生印存。韓天衡編，歷代印學論文選（上海：
　　　　西泠印社，一九八五年），頁一〇二一。

　　　　某生即賀孔才先生，見賀孔才出刊之「孔才刻石丙子多集」

　　　　序文。

註七八：同註一，頁五。

註七九：同註六，頁九一。

註八十：齊白石所刻：「老去無因啞且聾」

註八一：同註六，頁九一。

註八二：趙之謙所刻：「會稽趙之謙字撝叔印」

註八三：同註六，頁九一。

註八四：同註六，頁九一。

註八五：齊白石所刻：

「瓻屋」

「齊大」

「我負人人當負我」

「大匠之門」

「吾狐也」

「借山門客」

「中國長沙湘潭人也」　　　　　　　「人長壽」

註八六：齊白石所刻：

「年九十」　　　　「九十二翁」　　　　「魏今非」

註八七：本表改編自同註六，頁八五。

第三章 齊白石篆刻藝術特質

研究齊白石篆刻藝術，當然應以他的自藏用印爲主。這是他在篆刻藝術最成熟時期經過反覆推敲，乃至多次改刻才保留下來的得意之作。特別是那些或表身世，或寄情懷的閒章，多是他嘔心瀝血的作品。(註一)

篆刻最主要的是印面的刻製，而印文的書寫——筆法（亦稱篆法或書法），印文的排列——章法，與刻時所使用的刻法——刀法，形成了篆刻藝術的三大要素。(註二)以下剖析齊白石篆刻藝術的特質，就從這三方面來研究。

第一節 筆 法

印章是筆法、章法、刀法結合的藝術，筆法是鐫刻的荃石，鐫刻是筆法的繼續。所以懂不懂書法，會不會寫書法，對刻好印章有十分密切的關係。(註三)吾丘衍在「學古篇」第十八舉曰：

「漢有摹印篆，其法只是方正，篆法與隸相通。後人不識古印，妄意盤屈，且以爲法大可笑也。多見故家藏漢印，字皆方正近乎隸書，此即摹印篆也。王俅(註四)『嘯堂集古錄』所載古印，正與相合，凡屈曲盤回，唐篆始如此。」(註五)

至唐朝因篆書大衰規行矩步，了無眞趣，乃造成印章的黑暗時期，直到清代鄧石如出，其對各體書法之重視，才賦與篆刻藝術新的生機。

　　然而，除鄧石如外，持有「治印重書尤勝重刀」這種看法之士，亦不乏其人。王元美云：

　　「論印不於刀而於書，猶論字不以鋒而以骨，刀非無妙，然必胸中先有書法，乃能迎刃而解。」（註六）

　　甘暘云：

　　「印之所貴者文，文之不正雖雕龍鏤鳳，無爲貴奇。時之作者不究心于篆，而工意于刀，惑也。」（註七）

　　朱簡亦云：

　　「印先字，字先章，章則具意，字則具筆。」（註八）

治印之過程，首先即是佈字，佈成書於薄紙，然後反拓上石，或直接反書於印面。然書寫字體，必得其法，並非只是依樣葫蘆，照字典寫出就算了事。朱簡云：

　　「學無淵源，偏旁湊合，篆病也。不知運筆，依樣描補筆病也。」（註九）

可見一印之成必須對運筆的起、承、轉、結深入了解，窺得每一字之結構，再將一印之內各字的章法，安排得當。而寫出字體之筆情墨趣，尤爲重要。

　　吳昌碩曾強調：

「治印多能，識字難。」

個人以為其所謂「識字」，不僅指文字學上多問題，也強調了書法對治印的重要。(註十)

傅抱石也提到：

「我們知道，學印和學畫，究竟有所不同，學畫的人除致力於傳統——前人的作品、理論研究而外，主要的還在於熱愛生活，熟悉生活，把現實生活的感所，訴諸形象，通過不斷的實踐，從而得到體會，得到提高。篆刻則不同，篆刻以書法為基礎，結合雕刻加工(雕、鑿、鑄)的藝術，主要在於作者對書法的研究，造詣如何？不懂得書法的篆刻家是很難想像的。但是書法決不等於篆刻，書家也不等於篆刻家。那怕是篆刻的『天地』很小，歷史上最大的印章亦不過是幾方寸，而一方精彩動人的印章，應該是既具有高度的書藝，而又具有出色的章法、刀法，同時又有骨有肉，有筆有墨的結合，成為一個完整的藝術品的。方寸之地氣象萬千，關鍵就在這裡。」(註十一)

他對筆法與篆刻之間的關係，做了說明，原本一體之兩面，骨血相連，彼此相輔相成，不可分離。

齊白石將「三公山碑」、「天發神讖碑」、「秦權量」、「漢將軍章」等金石文字參以秦小篆，化於無形，變為已有。其筆法特點，多為變化改易「三公山碑」等篆書為較易識別的簡體篆。(註十二)例如，「三公山碑」「山」作「凶」，「高」作「宮」，「長」作「屭

」，「西」作「𠧧」，「年」作「𥝌」，「三」作「𠀤」，<u>齊白石</u>都分別把它們改爲「山」（或「凵」）、「念」、「𠤎」、「西」、「𦍌」、「三」等比較通俗易懂的形體。可見<u>齊白石</u>對「三公山碑」只是攝其精神，並不生搬硬套。

<u>齊白石</u>除了繼承「三公山碑」的優良傳統之外，還將它發揚光大，這可以歸納爲下面三點來說：

㈠善於用筆——<u>齊白石</u>篆書，如錐畫沙，使筆力透入紙內，這與他篆刻的衝刀法分不開。墨與紙交，斂墨入紙，墨潤時每畫兩邊的線條非常明朗，如昆刀刻玉；墨燥時每畫兩邊爆裂如桑葉被蠶食，或凹或凸，若有若無，中間一縷精氣貫注到底。「三公山碑」原已剝蝕得很，此種用筆妙處很難見到，<u>齊白石</u>發現並發展了它，這就尤爲可貴了。(註十三)如他所刻「子楠」一印(註十四，看圖)的他批語說：

「此二字人所不喜者，非衆手筆。」(註十五)

但他將此二字稍微拉長，筆畫雖細，卻瘦勁有力，此即因他的篆刻與衝刀法分不開之故，所以筆畫儘管細長，卻能感受到筆力，自然不是一般人手筆了。

㈡善於用墨——<u>齊白石</u>寫篆，意在筆先，文筆淋漓，不避漲墨；意之所到，也不怕焦墨。這又和他寫畫的墨法分不開。筆力雄肆，儀態萬千，令人百看不厭。(註十六)如「徐再思印」一印（註十七，看圖），幾個篆字即顯得文筆淋漓流暢婉轉，果眞是「儀態萬千，今人

百看不厭。」，故他自評爲「氣勢盈滿，無流俗修削工夫。」（註十八）

㊂善於布局——在他的篆書條幅中，配以上下款和印章，參差映襯，構成一局，加以善於用筆墨，使全幅一望，有墨處筆意濃郁，無墨處精氣瀰漫。這個境界，更非「三公山碑」所有的了。（註十九）例如「石檜書巢」一印（註二十，看圖）的齊白石批語云：

「此乃余之最工細者，可以渾入無悶印譜中也。所稱許者，余始細看似有古趣。」（註二一）

他自許爲作品中「最工細者」由於「檜」與「書」二字筆多，而「石」字筆畫最簡，「巢」字稍疏，故「檜」、「書」二字左上右下相稱，而「石」、「巢」二字亦相映成趣，全印即「有墨處筆意濃郁，無墨處精氣瀰漫。」，故有「古趣」。

齊白石曾說：

「吾人欲致力刻印，首宜臨摹古代文字，然後棄去帖本，自行書寫，帖本上所有者，固能一揮而就，帖本所無者，亦須信手寫出，如此用功，始能揮灑自如，不然必爲帖本所限矣。至每刻鐘鼎文字，若原文只有兩字，則此一印章，即無法鎸刻，故所刻字爲鐘鼎文中所無者，須以己意刻出，又須有古人筆意，使見者一望而知胎息於鐘鼎文中而出，此種創造古字，乃有價值。」

他又於題陳鴻壽曼生拓印說：

「刻印其篆法別有天趣勝人者，惟秦漢人，秦漢人有過人處在不蠢，膽敢獨造，故能超出千古。余嘗刻印，不拘昔人繩墨，而時俗以爲無所本。余嘗哀時人之蠢，不思秦漢人，人子也，吾儕亦人子也，不思吾有獨到處，如令昔人見之，亦必傾佩，曼生先生之刻此印，好在未死摹秦漢人僞銅印，甘自蠢耳。」(註二二)

他自己確實是這樣做的，由此可見，他刻印重視筆法。

漢代金文形體的近於隸書的，齊白石也多所取法。有些字，甚至來個自我作古。比如「鳳亭」一印(註二三，看圖)，鳳字在篆是從鳥凡聲的，隸書也是如此，只有到六朝以後，像「爨寶子碑」(註二四)及某些帖寫，才省變爲「鳳」，鳥上減掉一橫；「亭」之作「亯」，不同於篆的作「亯」；也都是自我作古。但兩字看起來倒比標準的篆書要相配得美觀而易識。這不能不是他的大膽過人之處。

在結構上注意平易近人，力避生僻的形體，適當而巧妙地利用一些隸書結體入印，在筆法上注意縱橫平直，取「三公山碑」行筆尙方和促上舒下的精神，棄其某些結體的繁複，這些應該是齊白石筆法的精要。(註二五)

齊白石曾說：

「篆法(筆法)是刻印的根本，根本不明，章法、刀法就不能精確，即使刻得能夠稍合規矩，品格仍是算不得高的。」這裡說的是「刻」從「篆」來，「刻」變首先要「篆」變。明淸以來，凡自立門戶者

無不如此。齊白石首先把自己「篆」變立足于趙之謙曾下過很深功夫的「三公山碑」，這是他篆刻藝術上的又一大的轉變。(註二六)他在以「三公山碑」為基本構架的筆法上，對「天發神讖碑」進行過深入細仔的研究，他將「天發神讖碑」的尖筆懸針，方折橫行以及劍撥弩張之勢，巧妙地揉合于「三公山碑」之中，終于形成了自己筆意剛勁、疏密自然、因勢變化、巧中見拙的筆法特點。

第二節　章　法

　　章法就是安排布局，在篆刻藝術中，章法被賦予特別重要的意義。鄧散木說：

　　「篆刻要講究篆法、章法、刀法，三者缺一不可，而最要緊的特別是章法。」(註二七)

章法安排的好壞，直接影響到整個篆刻作品生命形象的表現。換言之，印章作品的成功與否，其章法尤為重要。

　　因此，前人論章法之說繁多。茲舉其中幾個人的例子如下：

　　清吳先聲說：

　　「章法者，言其成章也。一印之內，少或一二字，多至十數字，體態既殊，形神各別。要必渾然天成，有遇圓成璧，遇方成珪之妙，無齪齬而不安，無齟齬而不合，斯為榮拂有情，但不可過為穿鑿，致傷於巧。」(註二八)

清<u>袁三俊</u>說：

「章法須次弟相尋，脈絡相貫，如營室廬者，堂戶庭除，自有位置。大約於俛仰向背之間，望之一氣貫注，便覺顧盼生姿，宛轉流通也。」（註二九）

清<u>徐堅</u>說：

「章法，如名將布陣，首尾相應，奇正相生。起伏向背，各隨字勢，錯綜離合，迴互偃仰，不假造作，天然成妙，若必刪繁簡，取巧逞妍，則必有擁腫、渙散、拘牽、局促之病矣。」（註三十）

這些論點清楚地說明了章法的要旨。

<u>齊白石</u>也對篆刻的章法十分重視，他曾一再教誨他的弟子說：

「刻印主要在於配合篆字的章法，要使字個個舒展，自然氣勢縱橫；但是千萬不要故意使字仰頭伸腳，造作稱奇，那就索然無味了。」（註三一）

如同建築必先設計好「藍圖」一樣，從整體出發把印章中的每個字都安排好，使得彼此氣脈連貫，顧盼挹讓，這是篆刻技法中頭等重要的事。

<u>齊白石</u>精通繪事，把虛實、呼應等原理也嫻熟地運用到篆刻上來。他從來不肯把字端端正正的擺在那兒，讓他們充滿印面，呆呆板板的，而是把印中的各字按結構和筆畫情況，遵照「空處可使走馬，密處不使容針」的原則，把它們虛實相涵，奇正相生，和對比強烈地布

白結合起來。如「樂石室」一印（註三二，看圖），筆畫多的「樂」和「石」兩字佔左邊一半。爲了形成虛與實、紅與白的強烈對比，「室」字特地簡省爲「」，這樣下端便留出一大片空間。然而，這空間留得很恰堂，絲毫沒有失卻平衡的感覺。字與字之間（上下或左右），常常把筆道併連起來，也是爲了虛實的需要（也有爲顧盼的需要），「樂石室」一印的「樂石」左旁與「室」的右旁的併連就是如此。

字與字，上與下，或者左與右，有時保持一定距離，有時又把筆道並連在一起，都服從氣局所需。將一印之中的若干個字，組成一個整體，絕不讓其中的一字一畫游離於外。（註三三）

爲了領略齊白石章法的妙諦，試將他所刻的幾方印加以欣賞分析。

先談「悔烏堂」一印（註三四，看圖），「悔」字的「心」邊旁的四豎筆，與「每」邊旁的三斜豎筆，開頭相靠，如繪畫中開頭相依的青松圖，屹然挺立。「烏」字密上疏下，橫劃以取勢。「堂」字斜向右上方，頂住「烏」字的右下方，開將「土」部斷去左半畫，虛空其中，讓中間更覺空靈，與「悔」字下部留空虛遙相呼應。全部印文上下左右傾斜俯仰造勢，十分壯觀又得韻。他還善於以風急雨速的氣勢急就而成，渾然致趣。

又如「中國長沙湘潭人也」一印（註三五，看圖），是善於運用疏益疏、密益疏的代表作，「中」、「長」二字的筆劃少於「國」字，

但佔地面積反而多於「國」字。「沙」、「湘」二字的「水」旁三豎劃，儘量密益密，使密左疏右更其突出，開注意到全印空處的錯落呼應，和筆劃的粗細、斜直變化，深得疏可走馬，密不容針的妙韻神情。

又如「人長壽」一印(註三六，看圖)，「長」、「壽」二字，儘量密其上，疏其下，與「人」字周圍的疏密空處形成呼應，筆劃如劍戟，頗顯疏闊縱橫的氣派。

另外「白石」一印(註三七，看圖)，對篆刻者來說，實在是一個難題，因為兩個字筆劃都是少而單調。但經他這麼一排，竟有了奇妙的章法。「白石」兩字的兩個方口，呈上下、大小錯落排列，使兩個字的重心有了變化。而「白」字三劃的間距也不平均，「日」上的一豎一撇似篆似隸，與「石」字一長橫各有穿插之妙，這一撇既起了隔開兩字方口的橫線條，又在左下方的大塊留空處，增添了靈動之感。「石」之一橫一撇，都與邊平行，一取斜勢，一取弧線，既破了直線平行的僵直感，又使全印橫平豎直的布局，顯出平中有奇，靜中有動的境界來。

從上述的印例中，還可看出他善於運用字與字之間、字的部位之間的高低參差、斜直錯落，以造氣勢。也可看出他善於強調章法的緊湊，多以併筆、黏邊，或擠破邊框，做到儘量減少印文筆劃，又造成飽滿狀態，充分體現出「簡少冷逸」的又一印章特徵。這些都是他篆

刻藝術審美意趣的典型表現。

　　齊白石在章法上還有一點值得一談的，就是他的犯險精神。本來，一方印章的筆畫宜於橫直取勢的，則以方折爲基調；筆畫宜於弧曲取勢的，則以圓轉爲基調。這是篆刻家所共知和恪守的準則。但他並不盡然，他往往敢於犯險，合縱橫弧曲於一爐而無忌，如「一擲千金渾是膽」一印(註三八，看圖)，基本是方折取勢的，但「渾」字當中的「田」卻出之以圓形。餘如「客中月光亦照家山」一印(註三九，看圖)的「月」字、「有衣飯之苦人」(註四十，看圖)的「有」字，都在方直線條之中夾進半月的形體。它們有點不統一，但從整體看，卻不覺其雜，而反覺其活。這就是他「膽敢獨造」的地方。(註四一)

　　另外，篆刻家對於印邊之處理，往往印文之布局同時考慮；邊沿處理適當，倍增構圖之美。否則呆板或顯得鬆散而不雅觀。齊白石在此方面可稱能手，其印邊與印文內容完全諧和在一起，使整體更加有神氣。(註四二)

　　故「悔烏堂」一印，正符合他所謂「字個個舒展，自然氣勢縱橫」(註四三)的理論，而「白石」一印則印證了他「刻印主要在於配合篆字的章法」(註四四)的說法，所以「白石」一印筆劃雖少，卻氣韻渾然，妙趣橫生。

　　總的來看，齊白石的章法是十分緊湊而又舒展的，印文高低參差，斜直錯落有致，氣勢縱橫。

第三節　刀　法

　　齊白石的執刀(註四五，看圖)，是以拇指、食指、中指來掐緊刀桿的，中指略往下按，無名指與小指則撐住印的右側邊緣，(註四六)刀口向外，按在筆畫正中，向前直衝，由于他的腕力極強，刻得極深，像刀斬斧截，故其作品，都用單刀刻石，不加修飾。(註四七)

　　他的刀法是獨具一格的。傅抱石說：

　　「我們知道，刀法在一定程度上相當於繪畫的筆法，是服從於書法的，服從於章法的，更重要的是服從於作者的思想感情的。所以它不是孤立的。老人在刀法上就鮮明地體現了這一點。腕力之盛，氣象之雄，真如明代李日華在評一篇元人的文章中所說的『雄快震動，有渴驥怒猊之勢』。字如此，畫如此，刻印更是如此。我們從老人的每一方印章，每一個字，每一刀(筆)，細細玩賞，細細研究這一刀和那一刀的關係，這個字和那個字的關係以及字與字相構成的整體關係，就可以比較容易的一面了解老人不『摹』不『作』特別是不『削』的創造精神，一面也彷彿看到老人鐵錐在手那種『一劍抉雲開』的豪邁氣概。」(註四八)

他盛稱齊白石腕力之盛，氣象之雄。而這一點是一般文人篆刻家所不能企及的，而其原因也就是因為齊白石從十六歲學雕花木工，整整雕刻木頭雕了十一個年頭，在技術上他已得天獨厚，而加上他對筆法上

的力學，對歷代名家的追摩，融會貫通、集思廣益，迺能脫穎而出，獨創一格也。

　　齊白石治印最反對「摹」、「作」、「削」，他在印跋中說：

　　「予之刻印，小時即刻意古人篆法，然後即追求刻字之解義，不爲摹、作、削三字所害，虛擲精神。人譽之，一笑；人罵之，一笑！」（註四九）

例如「齊白石手批師生印集」中有許多齊白石批語即印證了他治印理論，試舉例說明如下：

　　如他批賀孔才刻「別存古意」一印（註五十，看圖）說：

　　「純是秦漢思想，不假琢雕，自然古雅。」（註五一）

由於不假雕琢，故能自然古雅。

　　又如他批自刻「梅瀾」一印（註五二，看圖）即自評爲：

　　「此刻純似漢人所作，無甚味。」（註五三）

此印則摹仿太過，所以覺得索然無味。

　　又例如他批賀孔才刻「但恨無過石濤」一印（註五四，看圖）說：

　　「近爛銅文，近丑態也，刻印有似秦漢人者，吾儕恥之。」（註五五　）

　　又例如他批賀孔才刻「亞琴」一印（註五六，看圖）說：

　　「此印太似漢人，余看時不願長揖。」（註五七）

因爲摹、作成分多，而缺乏自然意趣，所以他極爲批評。

例如他批賀孔才刻「張寶琳印」一印(註五八，看圖)說：

「用刀之力，若寶刀截玉如泥。」(註五九)

唯其深諳「刻」字精義，才能脫離摹、作、削之害，而刻出意趣自然古雅之印」，所以他用衝刀刃石，除了與他追求快感和潑辣的情趣之外還跟他的方折書法有關。

他在「白石老人自述」中說：

「我刻印，同寫字一樣。寫字，下筆不重描，刻印，一刀下去，決不回刀。我的刻法，縱橫各一刀，只有兩個方向，不同一般人所刻的，去一刀，回一刀，縱橫來回各一刀，要有四個方向。篆法高雅不高雅，刀法健全不健全，懂得刻印的人，自能看得明白。我刻時，隨著字的筆勢，順刻下去，並不需要先在石上描好字形，纔去下刀。我的刻印，比較有勁，等於寫字有筆力，就在這一點。常見他人刻石，來回盤旋，費了很多時間，就算學得這一家那一家的，但只學到了形似，把神韻都弄沒了，貌合神離，僅能欺騙外行而已。他們這種刀法，只能說是蝕削，何嘗是刻印。我常說：世間事，貴痛快，何況篆刻是風雅事，豈是拖泥帶水，做得好的呢！」(註六十)

他將傳統「橫衝刀法」發展縱橫揮灑自如，使刀如使筆的運刀之法。(註六一)這同木工雕花的刀法相通。

一般來講，用刀主要分「中鋒」和「偏鋒」兩種，其刻則分「單入式」和「雙入式」兩種。用「中鋒」刻出來之效果是整齊而秀麗，

所謂藏裡裏針。用「偏鋒」刻出來之效果是堅挺峭拔，所謂乾折硬斷，但是單刀側入運用得法，更能跡外傳神。齊白石即用此法。(註六二)

　　他刻印，用刀的方向只有兩個，即刻白文印，橫劃就像寫字一樣由左而右(註六三)，豎劃亦如同作字，由上而下(註六四)。由於執刀稍向右斜，刃部稍朝左，所以刻出來的坑道便右面平滑，左面呈鋸齒形，剝落參差，與書法的「漲墨」有同樣的趣味(註六五)。白文印豎的線條左滑右毛，橫線條下滑上毛，就是這個道理。刻朱文印的用刀是一樣的，還是橫劃由左而右，豎劃由上而下，由於朱文要保留下來的石道以表現筆劃，所以用同樣的刻法，效果便適得其反，如「人長壽」一印(註六六，看圖)，橫劃是上面平滑，下面剝落；豎劃則右面平滑，左面剝落。(註六七)

　　齊白石只用衝刀，但衝刀中他有兩個很大的特色，一個是正刀與側刀混合交錯使用，使印面呈現不相雷同的單刀面目。一個是用側刀衝刺時，他非常重視刀的向背，這無形中，合乎了書法中筆勢的要求，於是我們看他的印，便覺得有縱橫之氣了。(註六八)他在敘述他的學生羅祥止的印譜時曾說：

　　「大道縱橫，放膽行去。」(註六九)
此乃得其刀法真傳，也是他甘苦有得之秘。

　　齊白石基本上是用單刀的，但有時還作必要之補刀，王師北岳說：

　　「白石老人雖然總是一刀一筆，決不回刀，但依我看法，固然是

大多數的印，都是一刀一筆刻成的，但老人眞正的好印是大印，大印的字劃細了，就不夠雄渾，如果章法中再有些疏密不勻的話，則更容易顯得薄弱。而老人所刻的大印，均氣勢雄強，有雷霆萬鈞之勢，就這樣陳師曾先生還是說過白石老人的印『縱橫有餘，蒼渾不足。』故其中若干筆劃，絕不是一刀可以刻成的。我可以肯定的說，老人是用一順的刀法速刻兩三次，把筆劃刻粗，顯得雄渾又有力罷了。學習單刀的人，一定同意我的說法，如果一味照老人所說的『我刻印……一刀下去，決不回刀。我的刻法，縱橫各一刀，只有兩個方向。……』就以爲是一刀一筆，刻小的還可以，但就永遠刻不出像他那樣雄渾爽快的大印來。」（註七十）

他主要用的是單刀，但有時還作必要的補刀，以便作品臻於完美。這猶如繪畫的「大膽落筆，小心收拾」那樣，這補刀就是「收拾」，需要反覆審視，以全印的布局及其統一變化爲依歸。（註七一）如「大匠之門」一印（註七二，看圖），「大」字四根垂筆粗細、姿態各不相同，其中一筆還明顯地用補刀處理以壯其勢。又如「中國長沙湘潭人也」一印（註七三，看圖），「沙」字右旁「少」的左右兩豎，及「湘」字右旁「目」的兩豎，也可以看得出補刀痕跡。但這要適可而止，補刀多了，線條就可能變得呆滯了，減弱了天然之趣。掌握了這些，加以用筆的「準」和「狠」，便可以創作出淋漓盡致的作品來。可以說他的刀法是創造性、獨特性的。

註　釋

註　一：引廬，齊白石的篆刻和印譜（香港：書譜，一九七八年六月，總二十二期），頁九。

註　二：王北岳，篆刻藝術的欣賞（台北：行政院文化建設委員會，民國七十九年，三版），頁二七。

註　三：中華書畫出版社編，中國篆刻藝術（台北：中華書畫出版社，民國七十七年），頁二四。

註　四：中文大辭典，第六冊（台北：文化大學出版部，民國七十四年，七版），頁三一九。

　　　　王俅：宋，任城人。字子弁。一說名球，字夔玉。又作夔石。號嘯堂。

註　五：吾丘衍，學古篇。美術叢書七集（台北：廣文書局，民國五十二年），頁六三。

註　六：朱簡，印經。篆學瑣著（台北：台灣商務印書館，民國六十二年）

註　七：甘暘，印章集說。美術叢書八集（台北：廣文書局，民國五十二年），頁一六四。

註　八：朱簡，印章要論。篆學瑣著（台北：台灣商務印書館，民國

五十二年)

註　九：同註六，頁三四。

註　十：方挽華，吳昌碩的篆刻藝術研究(文化大學藝術研究所碩士

論文，民國六十九年)，頁一一六。

註一一：傅抱石，白石老人的篆刻藝術(藝海雜誌，民國六十七年十

二月，第四卷第二期)，頁二一。

註一二：吳清輝編，中國篆刻學(杭州：西泠印社，一九九〇年)，頁

七三。

註一三：麥華三，隸韻、草情、齊篆。陳凡輯，齊白石詩文篆刻集附

錄(台北：宏業書局，民國七十二年)，頁十一。

註一四：齊白石所刻：「子楠」

註一五：北平圖書館編，齊白石手批師生印集，第一集二冊(北平：

書目文獻出版社，一九八七年)，頁九。

註一六：同註十三，頁十二。

註一七：齊白石所刻：「徐再思印」

註一八：同註十五，頁二七。

註一九：同註十三，頁十一～十二。

註二十：齊白石所刻：「石檜書巢」

註二一：同註十五，頁十九。

註二二：易恕孜，齊白石傳(八)（中外雜誌，民國六十二年十月，第
　　　　十四卷第四期），頁五二。

註二三：齊白石所刻：「鳳亭」

註二四：同註四，頁三十。

　　　　碑名。晉振威將軍建寧太守爨寶子碑晉大亨四年立，清乾隆
　　　　四十三年出土，本在雲南省南寧縣南七十里。後為鄧爾恆移
　　　　置城中，故新拓本末有鄧爾恆跋，初拓者字畫光細，後經人
　　　　揠剔致多缺訛，書法在隸楷之間，端朴古茂，與爨龍顏碑並
　　　　重。

註二五：引盧，齊白石篆刻技法試探（香港：書譜，一九七七年四月
　　　　，總第十五期），頁六七。

註二六：繆永舒，齊白石篆刻藝術風格的形成（北平：美術史論，一

九九一年第一期，總三十七期 ），頁八七。

註二七：北川博邦外多數譯、鄧散木著，篆刻學（ 東京：東方書店，
一九八一年 ），頁二四三。

註二八：吳先聲，敦好堂論印。篆學瑣著（ 台北：台灣商務印書館，
民國六十二年 ）

註二九：袁三俊，篆刻十三略。篆學瑣著（ 台北：台灣商務印書館，
民國六十二年 ）

註三十：徐堅，印淺說。篆學瑣著（ 台北：台灣商務印書館，民國六
十二年 ）

註三一：婁師白，怎樣治印(北平：人民美術出版社，年代不詳)，頁
二七。

註三二：齊白石所刻：「樂石室」

註三三：同註二五。

註三四：齊白石所刻：「悔烏堂」

註三五：齊白石所刻：「中國長沙湘潭人也」

註三六：齊白石所刻：「人長壽」

註三七：齊白石所刻：「白石」

註三八：齊白石所刻：「一擲千金渾是膽」

註三九：齊白石所刻：「客中月光亦照家山」

註四十：齊白石所刻：「有衣飯之苦人」

註四一：馬國權，白石老人的篆刻（ 香港：名家翰墨，一九九一年三
　　　　月一日，總第十四號 ），頁八八～八九。

註四二：譚興萍，我國篆刻藝術研究（ 藝術學報，民國七十年六月，
　　　　第二十九期 ），頁一一七。

註四三：同註三一。

註四四：同註三一。

註四五：本圖引自同註二五：齊白石用刀示意圖。

註四六：同註二五，頁六八。

註四七：楚天舒，中國篆刻發展概述(八)（ 香港：書譜，一九七六年
　　　　二月，總第八期 ），頁七三。

註四八：同註十一，頁二二。

註四九：齊白石，印說。韓天衡編，歷代印學論文選（ 杭州：西泠印

　　　　社，一九八五年九月 ），頁四五九。

註五十：賀孔才所刻：「別存古意」

註五一：同註十五，第二集二冊，頁一一六。

註五二：齊白石所刻：「梅瀾」

註五三：同註十五，第一集二冊，頁四六。

註五四：賀孔才所刻：「但恨無過石濤」

註五五：同註十五，第三集四冊，頁三二九。

註五六：賀孔才所刻：「亞琴」

註五七：同註十五，第四集一冊，頁三九八。

註五八：賀孔才所刻：「張寶琳印」

註五九：同註十五，第二集三冊，頁一四一。

註六十：齊白石口述、張次溪筆錄，白石老人自述（台北：傳記文學
　　　　出版社，民國五十六年），頁一一七～一一八。

註六一：同註十二。

註六二：同註四二，頁一二〇。

註六三：起力一般較重，收刀較輕，蓋出來則左較重、右較輕，與寫
　　　　篆字的筆意相合。

註六四：起刀一般較重，收刀較輕，蓋出來則上面線條較粗下面較細
　　　　，與寫篆字的筆意相合。

註六五：靑田石石屑呈狀，這效果尤爲明顯。壽山石石屑一般呈粉狀
　　　　，亦有這一意趣。

註六六：看註三六的印。

註六七：同註二五，頁六八。

註六八：王北岳，篆刻藝術（台北：漢光文化事業股份有限公司，民
　　　　國七十九年七月，九版），頁一一八。

註六九：同註二五，頁六八。

註七十：同註六八。

註七一：同註四一，頁八九。

註七二：齊白石所刻：「大匠之門」

註七四：看註三五的印。

第四章　齊白石篆刻藝術遺跡分析

第一節　印文分析

關於齊白石篆刻藝術風格的演變，已詳述於第二章第二節，以下專就其作品加以分析：

甲、摹擬期的作品

圖(1)「我生無田食破硯」

　　三十六歲所刻。仿丁敬。齊白石同鄉印友黎鰈庵在印側刻了這麼一段跋語：

　　　　「鈍叟(丁敬)有此印，寄老(齊白石)仿之，直得神似。近來以鐵書稱者，家松盦(松安)、鯨公而外，他人未許夢見斯種也。」(註一)

圖(2)「黃龍硯齋」

圖(3)「誦清閣所藏金石文字」

圖(4)「身健窮愁不須恥」

　　這些印取法浙派丁敬，黃易的作品。丁敬的古拗峭折，黃易的醇厚淵雅，都熔鑄到他的寸鐵中來。

圖(5)「志熙」

　　三十七歲所刻。尚有浙派遺風。款云：

　　　　「光緒己亥九月，白石老人。」

圖(6)「曾總均印」

　　三十七歲所刻。與上印成對。款云：

　　　　「志熙仁兄永寶用，齊璜刻。」

圖(7)「譚延闓印」

圖(8)「祖盦」

　　兩印都三十七歲所刻。在湘潭城裡所刻著。其作風正是清初風格

　　乃至丁敬、黃易一路，也正符合丁拔貢所說指斥的「齊白石的刀

　　法太爛。」，(註二，參看圖)但這兩方印實在穩妥而生動，較丁

　　拔貢所刻的超出不少。與上印同一印。款云：

　　　　「白石草衣。」

圖(9)「恨不十年讀書」

　　在刀法、筆法上，明顯地看出，取法丁敬、黃易，但章法上，與

　　吾丘衍所刻的「恨不十年讀書」印(註三，看圖)一模一樣。款云

　　：

　　　　「白石山人。」

　　「白石山人」四字印款刀法幼稚，判為四十歲以前之作。(註四)

圖(10)「白石山人」

取法丁敬，略有小變。

乙、蛻變期的作品

圖⑾「楊通收藏金石書畫印」

四十五歲所刻。頗具趙之謙、黃牧甫兩家之繩墨。在印文中的「書」字反刻。他對某些印字的處理，已頗具匠心。款云：

> 「光緒丁未二月，堅伯先生屬，白石草衣爲伯通先生篆刻。」

圖⑿「南國詞人」

四十五歲左右所刻。亦頗具趙之謙、黃牧甫兩家之繩墨。

圖⒀「小名阿芝」

圖⒁「虎公」

這兩方印都是仿趙之謙法之作。

圖⒂「錦波過目」

四十七歲所刻。趙之謙之法。顯得英邁遒勁，而又安詳平正。款云：

> 「錦波三兄同客天涯得之江南贏吾先去刊此爲別，弟璜，己酉六月廿五日。」

圖⒃「觀餅之居」

四十八歲所刻。間架方整，受趙之謙影響可見一斑。按此年他的

自述，謂譚氏兄弟現在懂得些刻印的門徑，也許便是指的<u>瓶齋學</u><u>趙之謙</u>而言。又說：

「我刻印的刀法，有了變化，把<u>漢印</u>的格局，融會到<u>趙撝叔</u>一體之內。」（註五）

款云：

「<u>觀瓶</u>先生喜<u>二金蜨堂印譜</u>，摹刊不過數石，已得門徑。余以爲何難，亦仿其篆法，不能少似。始知<u>瓶翁</u>之聰明，余不得雁行。庚戌冬，弟璜爲刊<u>觀瓶</u>居印幷記之。」

圖(17)「缾齋經眼」

四十八歲所刻。形體稍方，內剛外柔，有渾脫氣息，挺勁之神韻。款云：

「<u>瓶翁</u>永寶。弟璜刻，年末五十，花前隔霧，目力可知。」（註六）

圖(18)「慈衞室印」

圖(19)「知默居士」

圖(20)「譚延闓印」

這些印都是四十八歲所刻的。都皆於印側刻有重刻字樣，都是刻給<u>組安</u>先生的。（註七）

圖(21)「茶陵譚氏賜書樓世藏圖藉金石文字印」

四十八歲所刻。頗具<u>趙之謙</u>、<u>黃牧甫</u>兩家之繩墨。款云：

　　「庚子前黎鐵安代譚無畏兄弟索篆刻於余，十有餘印，丁拔
貢者以爲刀法太爛，譚子遂磨去之，是時余正摹龍泓秋庵與丁同
宗匠，未知熟是非也。黎鯨公亦師丁黃刀法，秀雅。余始師之終
未能到。然鯨公未嘗見誹薄，蓋知余之純任自然，不敢妄作高古
。今人知鯨公者亦稀，正以不假漢人窠臼耳，庚戌冬余應注。無
處來長沙，譚子皆能刻印，無想入趙撝叔之室矣。復喜余篆刻爲
刊此公以酬知己。王湘綺近用印亦余舊刊，余舊句云姓名人識鬢
成絲，今日更傷老眼昏耗；不復能工刻已，弟璜并記。」

圖⒇「生爲南人性不能乘船食稻而喜食麥跨鞍」

　　四十九歲所刻。齊白石的自述中沒有提到爲譚公等刻印，卻說在
長沙荷花池上爲他們的父親畫像的事，大約此印便是那時所刻。
這方印可以說是較工整精密者，即使和他晚年大成以後的作品相
比，也並不能掩其佳處。也是刻給組安先生的。(註八)款云：

　　　「宣統三年三月，無畏先生。弟璜。」

圖⒆「樂石室」

　　五十二歲所刻。用的純是趙之謙的家數。款云：

　　　「前清光緒癸卯春，余客長安，樊雲門先生爲題借山吟館圖
，詩中有句云，平生肇業以爲愧。甲寅秋，乃以樂石名室，遂刻
此印。因及往事有感，鰈翁三絕詩書畫，樂石吉金能刻劃，前明
四家白虎尊，揚州八怪冬心亞。始余私喜兀(其？)，知己之恩，

亦歎騷雅之遭逢不可再得也。齊璜記。」

圖⑵「譚祖盦考藏金石文字之印」

五十五歲所刻。布白、刀法均有黃牧甫的味道。款云：

「庚戌冬，余爲譚三先生刻收藏印，其石大，刻不易工。刻

將成，刀傷其指，譚五先生欲憐之。其事如在目前，今刊此石，

目益昏耗，因感往事並記之。時丁巳四月初三日，白石老人齊璜

。」（註九）

亦有黎鯨安款云：

「祖安屬刊。辛丑春，鯨安。」

圖⑵「延闓」

五十五歲所刻。（註十）擬趙之謙。款云：

「白石老人重刻。」

圖⑵「鉼齋書課」

五十五歲所刻。擬趙之謙。款云：

「丁巳四月廿一日得瓶園書，知鉼齋昨夜赴滬，是日，余正

爲瓶公刻此印，感故人之別，因記之。弟璜。」

又款後一面云：

「輕霜作寒，自張智之家飲六安茶歸刻。乙卯十月十三日，

不庵。」

不庵爲黎薇庵之別字，與譚延闓、齊白石爲好友。乙卯是民國四

年(一九一五年)，齊白石時年五十三歲，原印面不知刻何文句。

不過這方印是被磨去由齊白石重刻，自無可疑。

圖(27)「枕善而居」

五十五歲所刻。當時齊白石尚未變法，布白、刀法均有陳師曾的味道，唯用字較板，刀法猛厲。款云：

> 「余嘗遊四方，所遇能畫者陳師曾、李筠庵，能書者曾農冉、我、瀀庵先生而已。李梅痴能書，贈余書最多，未見其人，平生恨事也。瀀庵贈余書亦多，刻石以報，未足與書法同工也。丁巳七月中，齊璜並記，時二十日由西河沿上移楊炭兒胡同。」

圖(28)「視道如華」

五十五歲所刻。亦是蛻變階段的作品，布局尚好，然不及變法後那樣淋漓盡致，用刀已在嘗試單刀法。齊白石單刀白文橫劃皆向上剺落，此印橫劃向下剺落，是尚無法展也。款云：

> 「余二十年來嘗遊四方，凡遇正人君子，無不以正直見許，獨今年重來京華，有某無賴子欲謀騙吾友，吾友覺，防之，某恐不遂意，尋余作難，余避之瀀庵弟所居法源寺如意寮，傾談金石之餘，為刊此印，丁巳八月二十八日，兄璜并記。」

亦有楊昭儁款云：

> 「余未弱冠遨遊四方，孤旅鮮悰，十八年矣，此居蕭寺，心跡雙寂，聊采佛說，請白石先生刻印，用證淨樂云。丁巳九月瀀

庵楊昭儁記。」

圖(29)「淨樂無恙」

五十五歲所刻。此印乃擬趙之謙者，布白端庄，刀法略似黃牧甫，雍容大度，佳作也。款云：

「余刊此石，無意竟似撝叔先生，人皆以爲大好矣。余不能去前人之窠臼，慚慚愧愧。白石並記。」

亦有楊昭儁款云：

「余居京師法源法，李道士曾顏余居曰淨樂宦，丁巳五月南遊滬瀆，適都門倉猝戰起，以爲所蓄碑拓印石靡有了遺矣。及返而寺齋無恙。亟製此誌幸。齊璜刊，潛庵自記。」

圖(30)「顧廬」

刀法、章法、筆法均有吳昌碩的味道。

圖(31)「恐靑山笑我非昨」

五十七歲所刻。在章法上取法趙之謙，但在刀法或筆法上，有一點自己的面貌。款云：

「老苹三遊京師，看西山，感刊板橋西村感舊詞句，己未三月。」

圖(32)「三百石印富翁」

五十七歲所刻。布局疏密自然，用刀純熟。此印是蛻變期的代表作之一。款云：

「此石己未年居法源寺刻，庚申居前青廠補記，白石。」

圖(33)「木居士」

五十八歲所刻。此即有成熟面目的味道。款云：

「此三字五刻五畫始得成章法，非絕世心手不能知此中艱苦，尋常人見之，必以余言自誇也，庚申四月二十六日記，時家山兵亂，不能不憂白石老人又及。」

圖(34)「阿芝」

五十八歲所刻。布局安穩，用刀豪爽。款云：

「庚申四月，白石自製，時故鄉再四兵災，未知父母何處，草間偷生，妻子仍舊紫荊山下否。」

圖(35)「老齊」

五十九歲所刻。自己面目的味道漸趨出現。款云：

「辛酉秋，白石自製於京師。」

丙、成熟期的作品

圖(36)「老夫也在皮毛類」

六十二歲所刻。布局已趨固定形式，刀法純用單刀衝刺。款云：

「老夫也在皮毛類，乃大滌子句也，余假之製印，甲子，白石幷記。」

圖(37)「白石翁」

六十三歲所刻。布白安穩，用刀樸茂。款云：

> 「乙丑四月，余還家省親，留連長沙，有索畫者，嫌畫中無印記，不足爲信，余因刊此石，余所用白石翁三字小印，已有四石，後之鑑定者留意，白石自刊幷記。」

圖(38)「故鄉無此好天恩」

六十六歲所刻。此印布局跌宕開張，用刀亦渾樸。款云：

> 「京華天氣，吾喜刊此印，庚午，白石。」

圖(39)「見賢思齊」

六十九歲所刻。布白亭勻，用刀安穩，因有渾厚感。亦有吳昌碩的味道。款云：

> 「舊京刊印者無多人，有一二少年皆受業於余，學成自誇師古，背其恩本，君子恥之，人格低矣，中年人于非厂刻石眞工，亦余門客，獨仲子先生之刻，古工秀勁，殊能絕倫，其人品亦駕上，余所佩仰，爲刊此石，因先生有感人類之高下，偶爾記于先生之印側，可笑也。辛未正月，齊璜白石。」

圖(40)「不知有漢」

六十九歲所刻。布局開張，用刀雄健剛勁。款云：

> 「余之刊印不能工，但脫離漢人窠臼而已，同侶多之稱許，獨松厂老人嘗謂曰，西施善顰，未聞東施見妬，仲子先生刻印，古勁秀雅，高出一時，旣倩余刊見賢思齊印，又倩刊此，歐陽永

叔所謂有知己之恩，爲余言也。辛未五月，居於舊京，齊璜白石
山翁。」

圖(41)「魯班門下」

六十九歲所刻。全印的離、合處理，大膽誇張，又符合情理。可
以看出來自己的面目。款云：

「六十後刊舊句，七十歲時補記，辛未秋，白石山翁。」

圖(42)「牟聾」

六十九歲所刻。用刀自然。款云：

「辛未多十月，刊於舊京，觀者同學八九人。」

圖(43)「與化余氏」

七十歲所刻。布局簡練大方，用刀粗獷豪邁。款云：

「壬申，白石。」

圖(44)「戊午後以字行」

以先秦文字入印。可見「雕蟲垂老不辭勞」的齊白石，在篆刻上
是十分講求變化和多式多樣的。

圖(45)「八硯樓」

取法於「天發神讖碑」意趣。此印「八」字只兩筆，大膽留紅之
效果，下半部九個垂筆，由於在長短、尖鈍、間距等方面加以變
化，故無雷同呆板之感。線條間的併筆，避免了疏碎之弊，呈現
出一種欹斜剝落的奇趣。亦有「空能走馬，密不容計」的特色。

圖⑷「以農器譜傳吾子孫」

此印不拘原來的框格的刻法，是周代彝銘和漢碑所習見的形式。

丁、老年期的作品

圖⑷「甑屋」

七十一歲所刻。對印面文字作適當的併合，旣可以克服印面的光削呆板，又獲得含蓄的效果。款云：

「甑屋二字早刻之于石，癸酉夏，無可消愁，自行刻印，檢得此石，亦早篆上甑屋二字，不忍洗去，後重刻之，白石。」

圖⑷「尊石長壽」

七十一歲所刻。此印則是以刀法取勝，刻的雖是小篆，但那種雄快縱橫的氣息，眞有不可一世之慨。由此可知，齊白石使用小篆，而通過刀法或筆法、章法以求變的，才是大篆刻家，才有創意。款云：

「癸酉，……井先生，白石。」

圖⑷「齊大」

七十三歲所刻。「齊」字彩用簡寫的方法。全印的七根垂線，由左到右地審視，第一根垂線上粗下尖細，微有彎意，上段粗線，補足了殘邊的空缺；第二條稍短，微向外彎；第三條粗細有點彎化，微向中彎，也稍長；第四條最爲尖細挺勁，微斷而直插印底

；第五條特別靠緊左線而微收，末端稍鈍微向左彎；第六條間距
比前二條間稍寬，末端銳利；末條相距最大，上粗下細，向右下
角斜插粘邊。另外，僅有的兩條橫線一高一低，「齊」字三個三
角形變化不一，角有全有殘，四邊粗細不等，幾盡變化之能事。
這種堅挺的朱文線條，給人一種堅忍不拔，氣勢縱橫、凌厲無比
的美感。款云：

　　「乙亥，自刊。」

圖(50)「我負人人當負我」

　　七十二歲所刻。此印是齊白石老年期的典型風格。他的白文印，
常常由於章法上強烈的疏密對比，排列上的恢宏跌宕，運用的乾
脆利落，別具一種氣勢逼人、神彩飛動的風貌。此印，由於「人
」字作了重復記號，使全印成六字處理，形成較為平均的穩當格
局，除了在筆劃粗細、距離上加以變化外，可注意到「負」、「
人」、「我」三字呈正三角形分布，各字下部均留有醒目的紅地
，而「我、當、負」另又呈倒三角形的分布，則顯得白多紅小，
全印平中生奇，因奇而活。另外，對斜筆較多的字，乾脆分置四
角，造成全印和諧、統一的風格。款云：

　　「甲戌九月十八日，柏雲言歸，贈此二石與余別。白石老人
刊於舊京，并記。」

圖(51)「吾狐也」

七十四歲所刻。此印，三字平均占地四分之一，其中「也」字的筆劃延伸，占地四分之一。款云：

「吾生性多疑，是吾所短，刊此自嘲，丙子五月，時客成都之治園，<u>白石</u>。」

圖⑸「我自作我家畫」

「我」字的上部筆劃與「作」字下部筆劃左右互相穿插，「我」字的尾筆傾斜約四十五度，向左下方延伸，插入「作」字的下部二橫劃之間。此斜插之筆，誇張得十分生動得勢。「家」字與「畫」字的豎筆，上下互相穿插，緊靠一起，上穿下聯。這是一方結合上下、左右、斜向互相穿插避讓，氣勢貫串，顧盼生情的佳構。用刀流暢。

圖⑸「白石」

靠近邊處的直劃略殘，不但蒼老，而且生動。

圖⑸「大匠之門」

「大」字四根垂筆粗細，姿態各不相同，其中一筆還明顯地用補刀處理以壯其勢。這四個筆劃特少的字，由於「匠、門」二字的幾處併筆，顯得顧盼有情，增強了全印的團聚感。

圖⑸「老手齊白石」

此印充分表現了衝刀的意趣。此印特別的地方在於印面的界格安排，「老手齊白石」五字，<u>齊白石</u>卻把印面劃成六格，而且中間

一横劃出乎意料地往右上方傾斜，更驚奇的是「石」字獨佔兩格，衝破了橫劃界欄，勢不可遏的氣勢於焉產生，其強度若此，誠令人佩服。「齊、白」兩字基本上相當，「白」字重心下移，使得整方印不致上浮。「老」字則略小，筆劃因線條多且密而略細，「手」字末筆突破界格，破規矩於自然之中。「石」字並不與「老」、「齊」二字齊頂，一來是留出空來與「手」及「白」的空處相呼應，二來是「石」字的重心略往下移，使此印具沈著之感。「石」字左側一筆略向內傾，且有突穿橫瓦的界格，把氣勢帶到了左下方的空格，整方印作間得到了平衡。當然平衡之力單靠「石」字一筆未免顯得輕了些，因此齊白石不但使橫界格的左側線條變得粗厚，更使它向右上方傾斜，以便顯出印面左側的重量感來。界格在此印裡，發揮了調整的功能。

圖(56)「借山門客」

「山、門」二字筆劃較少，大塊留紅，「借、客」二字相對比呼應。在刀法上用單刀中鋒，忽粗忽細，有些筆有明顯的補刀痕跡，以增強厚重感。

圖(57)「中國長沙湘潭人也」

全印基調是滿目縱橫排列的線條，或粗或細，或長或短，或疏或密，顯示出線條的節律美。在留紅上，也因為天成自然，故而被分割的空間塊面，給人留下無限的假想。從這方慓悍凌厲、縱橫

揮灑的作品中，是可以感受他的那種刀筆縱橫的風姿的。

圖(58)「人長壽」

面對層層排疊的橫劃，似乎置身在中山陵層層台階之間，此印筆劃雖細而氣勢雄偉，力能扛鼎。如果對橫劃採取平均的排列，必會使人有單調之感，望而生厭，由於他在筆劃的粗細、距離大小等方面幾盡變化之能事，因此波瀾橫生，此起彼伏，有應接不暇之感，必欲仔細品味而後快。齊白石在線條組合、變化方面的精湛技巧，除「壽」字頭上三豎筆以外，其他豎線也均有不同程度的變化。「壽」字的一長豎，顯出一種韌勁的美。「人、長」二字的豎線也力避垂直。讓這些粗細、長短、寬窄、疏密的線條和空間在互相對立、排斥的因素中達到矛盾中的統一，在險絕之中，復歸平整。用刀爽快。

圖(59)「年九十」

將其中的兩個字連在一起，像一個字一樣的章法。

圖(60)「九十二翁」

在無記年款作品當中，晚期之作。

圖(61)「魏今非」

九十二歲所刻。在有記年款作品當中，晚期之作。款云：

　　　「白石九十二歲刊。」

齊白石有些作品，亦有較特殊類。

㈠、指紋印：圖(62)

㈡、肖形印：圖(63)

㈢、四靈印：圖(64)「朱」

圖(65)「張」

圖(66)「白石之妻」

以上爲齊白石印文之分析，現將其作品之邊款順便加以說明。

印章的邊款，是指刻製在印章的側面、四周或頂端的文字。古印常無落款，然而明清以來，凡篆刻家印石，沒有不落款的。

一般而言，印章鐫刻邊款的意義，與書、畫上的題款，殆爲相同，明代文彭開始，已有長篇邊款之作，文氏治款頗負盛名。自從明代文彭提倡印藝之後，邊款開始盛行，一方面爲了留名，一方面因爲軟石治印比較容易奏刀，文人的小品短文也可以附於印側以傳世，並且可以將治印人的書法，由邊款的方式，發展到盡善盡美。(註十一)

清趙之謙所刻邊款最爲著名，例如用北碑書法製款，又將漢畫像應用到邊之上，使印款文詞、形式和體貌更加充實，這些都是前無古人的。(註十二)

齊白石篆刻的邊款凌礪峻橫(註十三)也有自己的風格，他用先橫後豎的衝刀刻法。(註十四)强悍凌厲，古拙緊結，甚似六朝造像的草率者，其佳妙處在能與印面相匹。字少的比較好，字多的就不無散亂

之嫌了。(註十五)特別是他的「豈辜負西山杜宇」一印的山水畫邊款(註十六，看圖)，再現了他的山水畫風格。近代學者孔白云「篆刻入門」中說：

「印之具款，亦如書畫題款，所以見鄭重也。」(註十七)

由此可見，自有流派印章作品問世以來，齊白石的山水畫邊款就是整個印作的必不可少的有機的組成部份。

（附：齊白石篆刻作品年表）

齊白石從三十四歲開始習印到年邁不能奏刀，如「魏今非」一印為晚期之作，大約經歷了六十個年頭。他一生刻了多少印，無法統計，但從「白石印草」自序所說，由五十五歲定居北平到七十一歲前後不到十七年便刻了三千多印來算，那麼他一生刻印可能有近萬之多。由於他所刻之印有近萬之多，故「齊白石篆刻作品年表」中所列之印，以他自用者居多，其中亦間有送與他人者。

本年表分為有紀年款(包括他人已研究而得知其刻印年代者)與無紀年款。其中無紀年之作品再分為四：㈠摹擬期，㈡蛻變期，㈢成熟期，㈣老年期。

甲　有年款之作品

作　　　品	種類	年　　　代
「我生無田食破硯」	朱文	光緒24年戊戌(1898)36歲
「志熙」 「曾總均印」 「譚延闓印」 「祖盦」	朱文 白文 白文 朱文	光緒25年己亥(1899)37歲

作　　　品	種類	年　　　代
「楊通收藏金石書畫印」 「小名阿芝」 「虎公」	朱文 朱文 朱文	光緒33年丁未(1907)45歲
「錦波過目」	朱文	宣統　1年己酉(1909)47歲
「觀鉼之居」 「鉼齊經眼」 「慈衛室印」 「知默居士」 「譚延闓印」 「无畏」 「茶陵譚氏賜書樓之藏圖藉金 　石文字印」	白文 朱文 白文 朱文 白文 朱文 朱文	宣統　2年庚戌(1910)48歲
「生爲南人性不能乘船食稻而 喜食麥跨鞍」	朱文	宣統　3年辛亥(1911)49歲
「樂石室」	白文	民國　3年甲寅(1914)52歲
「譚祖盦考藏金石文字之印」 「延闓」 「鉼齋書課」 「楊昭儁印」 「視道如華」 「五十以後如學塡詞記」	朱文 白文 白文 朱文 白文 白文	民國　6年丁巳(1917)55歲

作　　　　品	種類	年　　代
「潛庵」	朱文	民國6年丁巳(1917)55歲
「歌事遂情」	朱文	
「枕善而居」	朱文	
「虎公所作八分」	朱文	
「增祥長壽」	朱文	
「不便堂」	朱文	
「南無阿彌陀佛」	朱文	
「阿潛眼福」	朱文	民國 8年己未(1919)57歲
「三百石印富翁」	朱文	
「恐青山笑我非昨」	白文	
「木居士」	白文	民國 9年庚申(1920)58歲
「阿芝」	朱文	
「良琨」	白文	
「老齊」	朱文	民國10年辛酉(1921)59歲
「老齊郎」	朱文	民國12年癸亥(1923)61歲
「白石翁」	白文	
「鑿冰堂」	白文	
「老夫也在皮毛類」	白文	民國13年甲子(1924)62歲
「李寶楚字善仲」	白文	
「木人」	朱文	民國14年乙丑(1925)63歲
「白石翁」	白文	
「關浙生」	白文	民國18年己巳(1929)67歲
「故鄉無此好天恩」	朱文	民國19年庚午(1930)68歲

作　　　品	種類	年　　　代
「見賢思齊」	白文	民國20年辛未(1931)69歲
「不知有漢」	朱文	
「魯班門下」	朱文	
「半聾」	朱文	
「興化余氏」	白文	民國21年壬申(1932)70歲
「習苦齋」	白文	
「金永基印」	白文	
「閒散誤生平」	白文	民國22年癸酉(1933)71歲
「甑屋」	朱文	
「知已有恩」	朱文	
「三餘」	朱文	
「安得子孫寶之」	朱文	
「一家多事」	白文	
「淑度讀書」	朱文	
「寶之子孫安得」	朱文	
「志和藏書」	朱文	
「考槃在澗」	朱文	
「樂石室」	白文	
「尊石長壽」	白文	
「裦瑾握瑜」	白文	
「蘭風」	白文	
「浴蘭湯兮沐芳華」	白文	
「憶君腸欲斷」	白文	

作　　　品	種類	年　　　代
「興公」	朱公	民國23年甲戌(1934)72歲
「西山風日思君」	白文	
「非兒」	白文	
「豈辜負西山杜宇」	白文	
「一襟幽事砌蛩能說」	朱文	
「良年」	白文	
「白石翁」	朱文	
「我負人人當負我」	白文	
「傅霖之印」	白文	
「隱峰居士」	白文	
「老去先無因啞且聾」	白文	
「隱年居士」	白文	
「隔華人遠天涯近」	白文	民國24年乙亥(1935)73歲
「齊大」	朱文	
「碧梧」	朱文	
「彭文之印」	白文	
「胡銳之印」	白文	
「秉直長壽」	白文	
「松隱平安」	朱文	
「永基」	朱文	
「石瓊樓主人」	白文	

作　　品	種類	年　　代
「吾狐也」	白文	民國25年丙子(1936)74歲
「今來古往閑中意」	朱文	
「家在楊州梨花深處」	朱文	
「畫師白石」	白石	
「與之所至」	朱文	民國26年丁丑(1937)77歲
「聽鶴館」	白文	(實75歲)
「忘憂盧」	白文	
「齊白石藏」	朱文	民國27年戊寅(1938)78歲
「無懷軒印」	白文	
「老白」	白文	民國28年己卯(1939)79歲
「離形得意」	白文	
「平助」	朱文	
「柳川」	白文	

作　　品	種類	年　　代
「誠之」	白文	民國29年庚辰(1940)80歲
「柴山兼四郎」	白文	
「四不怕者」	白文	
「長白山農」	白文	
「不合時宜那得不貧」	白文	
「羞根」	白文	
「行年八十三矣」	白文	民國31年壬午(1942)82歲
「借山門人」	朱文	民國32年癸未(1943)83歲
「齊白石」	白文	民國37年戊子(1948)88歲
「張逸盦」	白文	民國39年庚寅(1950)90歲
「魏今非」	白文	民國41年壬辰(1952)92歲

乙　無年款之作品

(一)摹擬期

作　　品	種類	作　　品	種類
「身健窮愁不須恥」	朱文	「肝膽照人」	白文
「武威樊嘉」	白文	「硯田農」	白文
「誦清閣所藏金石文字」	白文	「天琴居士」	朱文
		「黃龍硯齋」	白文
「恨不十年讀書」	白文	「白石山人」	白文

(二)蛻變期

作　　品	種類	作　　品	種類
「南國詞人」	朱文	「齊白子」	朱文
「詩思在雪中驢背上」	朱文	「齊瀕生」	白文
「齊白石」	朱文	「齊大」	朱文
「苹翁」	朱文	「五十以後始學塡詞記」	白文
「流俗之所輕也」	朱文	「三百石印齋」	朱文
「白眼看也世上人」	白文	「阿芝」	朱文
「白石假看」	白文	「劉復」	白文
「胡佩衡」	白文	「五十八歲以字行」	白文
「梁啓超印」	白文	「昭儁奉貽」	朱文
「淨樂宧藏」	朱文	「楊昭儁觀」	朱文
「潛盦」	朱文		

㈢成熟期

作　品	種類	作　品	種類
「白石曾見」	朱文	「借山翁」	白文
「白石之記」	朱文	「木居士記」	朱文
「齊木人」	朱文	「煮石」	朱文
「掃門者四時風」	白文	「煮畫山庖」	朱文
「煮畫庖」	白文	「萍翁假讀」	朱文
「白石賞心」	白文	「白石言事」	白文
「白石相贈」	白文	「白石造稿」	白文
「白石題跋」	白文	「白石造化」	白文
「白石三復」	白文	「白石草堂」	白文
「白石老年賞鑒」	白文	「借山館」	朱文
「八硯樓」	白文	「以農器譜傳吾子孫」	白文
「寄萍堂」	白文	「戊午後以字行」	朱文
「飽看西山」	朱文		

㈣老年期

作　　品	種類	作　　品	種類
「甌屋」	朱文	「老年肯如人意」	白文
「慚愧世人知」	白文	「星塘白屋不出公卿」	朱文
「老萍曾見」	白文	「萍翁得見有因緣」	白文
「門人半知己」	朱文	「門人知己即恩人」	朱文
「老萍有子」	白文	「壽璽」	白文
「阿芝」	白文	「冰庵」	朱文
「老萍手段」	白文	「老萍辛苦」	白文
「寄萍吟屋」	白文	「齊璜敬寫」	白文
「湘上老農」	白文	「白石畫蟲」	朱文
「白石篆字」	白文	「白石吟屋」	白文
「香雪莊主」	白文	「翠明莊主」	白文
「二莊主人」	白文	「陳之初印」	白文
「游戲人間四十季」	朱文	「南面王不易」	白文
「江湖好夢」	白文	「人長壽」（長方形）	朱文
「實篤」	白文	「良平」	白文

作　　品	種類	作　　品	種類
「井關」	白文	「原八郎」	朱文
「某原龍」	白文	「老書生」	白文
「絲」	白文	「朝倉」	白文
「文夫」	朱文	「金三」	白文
「土筆居」	白文	「此君亭」	白文
「月白山莊」	白文	「白雲居」	白文
「白峰」	朱文	「虎」	白文
「永啓」	白文	「英」	白文
「繼郎」	白文	「眞人」	白文
「狗子」	朱文	「齊良之印」	白文
「齊良歡」	白文	「心耿耿」	白文
「龍山詩長」	白文	「陽春白雲」	白文
「商石」	白文	「平」	白文
「喜」	朱文	「山水樓」	白文
「微山行人」	朱文	「老麟」	白文
「大羽」	朱文	「平翁」	朱文
「白石老年自娛」	白文	「老手齊白石」	白文
「白石」	朱文	「齊白石」	白文

作　　品	種類	作　　品	種類
「白石草衣」	白文	「老萍」	白文
「齊璜老手」	白文	「齊璜之印」	白文
「金石奇緣」	白文	「大匠之門」	白文
「啞公題跋」	白文	「老年無因啞且聾」	朱文
「寡交因是非」	白文	「悔烏堂」	朱文
「寄萍堂」	朱文	「曾經灞橋風雪」	白文
「寶君」	白文	「寧肯人負我」	白文
「靜川」	朱文	「古潭州人」	白文
「古潭州人」	朱文	「梨華小院」	白文
「百樹梨華主人」	白文	「爲客負梨華」	朱文
「何用余憂」	白文	「斌甫」	朱文
「心內成灰」	白文	「有衣飯之苦人」	白文
「客中月光亦照家山」	朱文	「兒輩不賤家雞」	朱文
「贏得鬢須殘雪」	白文	「還家休聽鷓鴣啼」	白文
「望白雲家山難捨」	白文	「無道人之短」	白文
「老爲兒曹作馬牛」	白文	「客久子孫疏」	朱文
「令聞作畫」	白文	「酉山如笑笑我耶」	朱文
「畫師白石」	白文	「餓叟」	白文

作　品	種類	作　品	種類
「太平無事不忘君恩」	朱文	「前世打鐘僧」	白文
「跛翁虎尾」	朱文	「接木移華手段」	白文
「吾畫徧行天下僞造居多」	朱文	「借山老子」	白文
		「中國長沙湘潭人也」	白文
「尋思百計不如閒」	朱文	「君子之量容人」	朱文
「借山吟館主者」	白文	「一擲千金渾是膽」	白文
「人長壽」（方形）	朱文	「癸酉」	朱文
「乙亥」	白文	「丙子」	白文
「丁丑」	白文	「辛巳」	白文
「癸未」	白文	「加我三年成百壽」	白文
「七十以後」	白文	「七三翁」	朱文
「行年七十三」	朱文	「七十三後鐫」	白文
「七三老婦八千里」	朱文	「七四翁」	白文
「七五衰翁」	白文	「七八衰翁」	朱文
「七九衰翁」	白文	「吾年八十矣」	白文
「八十歲多應門者」	朱文	「九九翁」	白文
「吾年八十二矣」	白文	「年八十五矣」	白文
「年八十六矣」	白文	「吾年八十七矣」	白文
「吾年八十八」	朱文	「年八十九」	白文
「年九十」	白文	「九十二翁」	白文

圖一　　　　　　　　　　　圖二

圖三　　　　　　　　　　　圖四

圖五

圖六

圖七

圖八

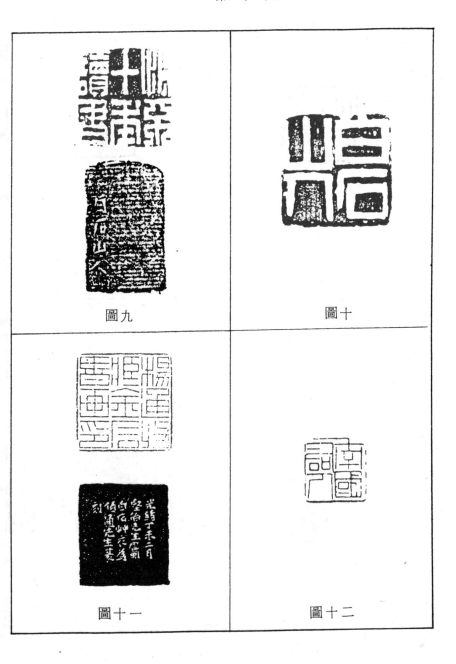

圖九　　　　　　　　　圖十

圖十一　　　　　　　　圖十二

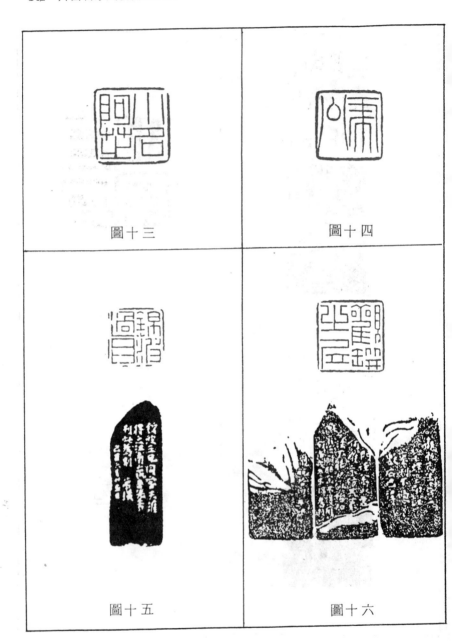

圖十三　　　　　　　　　圖十四

圖十五　　　　　　　　　圖十六

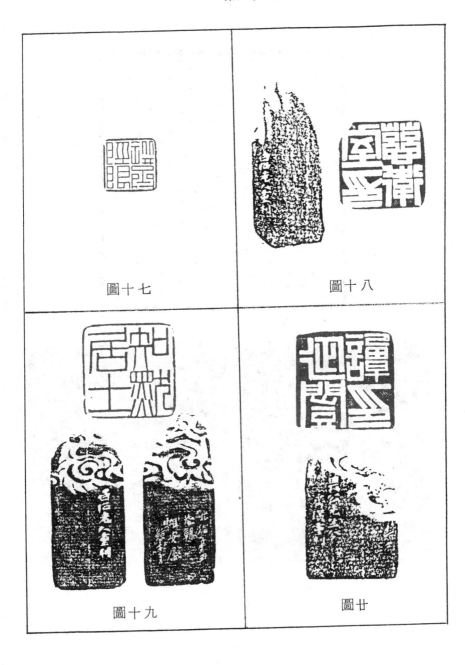

圖十七

圖十八

圖十九

圖廿

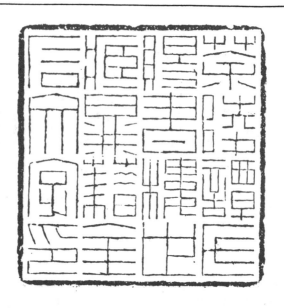

圖廿一

圖廿二

圖廿三

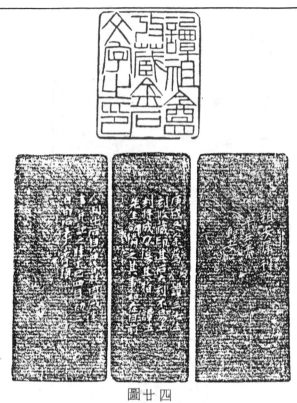

圖廿四

圖廿五

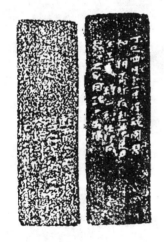

圖廿六　　　　　　　　　　　圖廿七

圖廿八

圖卅

圖廿九　　　　　　　　圖卅一

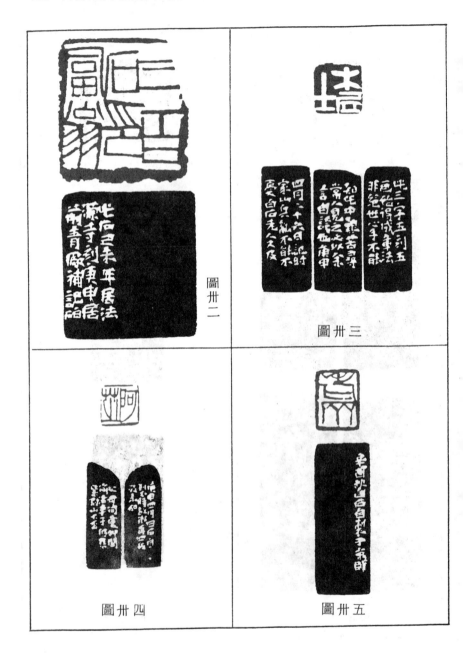

圖卅二

圖卅三

圖卅四

圖卅五

圖卅七

圖卅六　　　　　　　　　　圖卅八

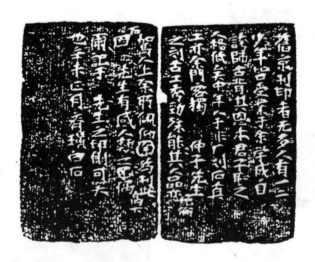

圖卅九

圖四十

圖四一

圖四二

圖四三

圖四四

圖四五

圖四六

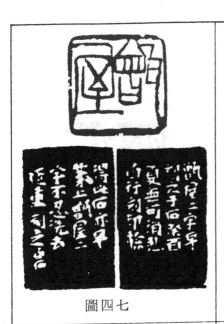

圖四七

圖四八

圖四九

圖五十

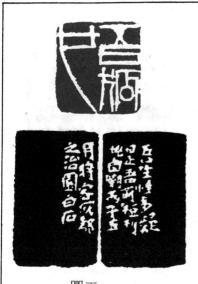

圖五一

圖五二

圖五三

圖五四

圖五五

圖五六

圖五七

圖五八

圖五九

圖六十

圖六一

圖六二

圖六三　　　　　　　圖六四

圖六五　　　　　　　圖六六

第二節　齊白石與其他篆刻家印刻的比較

本節專門研究齊白石篆刻與其他諸家之異趣，所以特重各家之比較；選擇標準為：他在刀法、筆法或章法上與其他各家有特別不相同之處，且此一字形在齊白石篆刻上較有代表性的。至於選擇篆刻家原則如下：

其一，支配民國以來篆刻界的重要篆刻家——吳昌碩，他與齊白石也大概同時。同時期的兩大家比較，更能看出齊白石的風格。

其二，齊白石蛻變期所專攻其刻意的趙之謙。故選趙之謙印刻，以見齊白石入出趙之謙之轉變。

其三，為摹擬期所模仿的浙派領袖丁敬及同為浙派的黃易。若此字為丁、黃二人所無，則另選浙派他人所刻，以比較齊白石出於浙派又與浙派不同處。

其四，鄧石如雖然以筆為重，但齊白石也頗著重筆趣，故選鄧石如以比較之，又因鄧派與浙派同為清代兩大派別，選鄧派作品更可比較出齊白石篆刻之特殊、

其五，若以上各家皆無此字，則其他人作品代之。

基於以上選字及篆刻家的原則下，方能顯出齊白石與他家篆刻風格之異。

以下即為齊白石印刻與其他諸家印刻之比較：

①「丁」

吳昌碩　　趙之謙　　吳讓之　　丁　敬

齊白石所刻「丁」字簡當明快。頗有趙之謙之味。

②「之」

吳昌碩　　趙之謙　　吳讓之　　丁　敬

其他四人在布白方面較平均，而齊字左邊的面積較窄，右邊則加以誇大，因此對比強烈。

③「主」

吳昌碩　　趙之謙　　鄧石如　　黃　易

齊白石刻單筆或筆畫簡單的字，常有尖端出現。「主」字齊白石所刻只有金文一體，而無其他字體。

④「也」

　　吳昌碩　　　吳讓之　　　（飛鴻堂）　　（學山堂）

齊白石所刻「也」字，用筆犀利，角度險峻。其字體與吳昌碩所刻相類，筆畫有所簡省，「也」字上半雖大，然下面一筆力道剛勁，而無頭重腳輕之感。

⑤「亦」

　　吳昌碩　　　徐三庚　　　趙之謙　　　黃　易

齊白石所刻線條常以直線代替曲線，取其剛健一路，受「天發神讖碑」的影響。

⑥「人」

　　吳昌碩　　　趙之謙　　　鄧石如　　　丁　敬

齊白石刻的「人」字間架方整，受浙派影響可見一斑。兩豎劃向內，又具有自己風格。

⑦「內」

　　　　吳昌碩　　　吳讓之　　　（飛鴻堂）　　程大憲

　　齊白石所刻「內」字處理有幾何的趣味。其他諸家所刻「內」字

場見其方正，且筆畫安排工整，而齊白石則籍「人」的不整齊分割，

顯出布白特色，空靈有味。

⑧「以」

　　　　吳昌碩　　　趙之謙　　　鄧石如　　　錢　松

　　此字疏密極大，疏可走馬，密不容針。其他諸家所刻「以」字布

白都很工整，而齊白石則以疏密、極端的差異造成獨特趣味。

⑨「休」

　　　　鄧石如　　　汪　關　　　（學山堂）　　甘　暘

　　齊白石把「木」字兩斜線簡化成幾乎水平的線條，極其特色。

⑩「何」

　　　吳昌碩　　趙之謙　　吳讓之　　丁　敬

齊白石運用併筆處理左右分隔的字，極有趣味，亦是齊氏特色之一。又豎鉤處頗有丁敬之味，但齊氏筆畫較剛勁，角度險峻。

⑪「作」

　　　吳昌碩　　趙之謙　　吳讓之　　丁　敬

齊白石刻「作」字右則由「乍」簡化成「乍」處理手法特殊。觀其他諸家則無此手法。

⑫「僧」

　　　徐三庚　　吳讓之　　黃　易　　（飛鴻堂）

此即運用疏密處理表現齊字的趣味。「人」都偏旁處理有特色，兩畫之間眞是「密不容針」，異常險峻，齊氏將字形拉長，但字體方

正，其趣異於<u>吳襄之</u>；而筆畫勁直有力，則異於其他諸家。

⑬「兒」

吳昌碩　　徐三庚　　趙之謙　　（學山堂）

<u>齊白石</u>常好把篆字平整的筆畫加以角度造成動勢。「兒」字下面兩筆，頗具巧思，首先將此二筆拉長，使「兒」字上下勢均力敵；其次此畫的筆畫安排不再像上半「臼」作整齊的安置，右邊一畫角度之剛勁更與「學山堂」大異其趣。整個字由於下面二筆的匠心獨運，顯出<u>齊氏</u>布白特色。

⑭「八」

吳昌碩　　趙之謙　　鄧石如　　丁　敬

<u>齊白石</u>將曲線做直線處理。其趣味異於其他諸家。

⑮「畫」

吳昌碩　　趙之謙　　吳讓之　　黃　易

齊白石所刻「畫」字在平整的章法中，利用布白的不平衡造成一種趣味。

⑯「千」

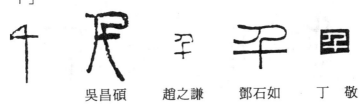

吳昌碩　　趙之謙　　鄧石如　　丁　敬

齊白石章法的特色，疏密開合。將筆畫由曲線拉爲直線中間一豎，勁直有力，有力透紙背之感。由疏密有致的章法中顯出無限靈秀之味。

⑰「南」

吳昌碩　　趙之謙　　徐三庚　　丁　敬

從這個字明顯的見齊白石側面衝刀所造成的筆畫效果。「南」字由筆畫整齊中見不齊趣味，整個字彷彿只由橫豎幾畫構成，實則頗有墨韻，的確「運刀如筆」。

⑱「唫」

徐三庚　　吳讓之　　桂　馥　　黃　易

齊白石把「金」字簡化成四橫畫，但為了避免呆板，四橫畫中錯落參差有致。

⑲「如」

　　　　吳昌碩　　　趙之謙　　　鄧石如　　　趙之琛

齊白石好把篆書中懸針的特色加以誇大。且又將「如」字曲線皆作直線處理，與吳昌碩、趙之謙、鄧石如三家異其趣，其中如趙之謙所刻筆畫靈活有味，而齊白石所刻則在章法、布白上頗堪玩味。

⑳「子」

　　　　吳昌碩　　　趙之謙　　　吳讓之　　　奚　岡

齊白石在鉤的筆畫中往往加以拉長。此一筆法趙之謙亦有，但齊氏則較為誇張且富於變化，配合不同字形造成布白特色。

㉑「室」

　　　　吳昌碩　　　趙之謙　　　吳讓之　　　黃　易

齊白石將古篆法「至」字簡化造成幾何趣味，此一特色爲其他諸家所無。

㉒「客」

　　　　　　　　吳昌碩　　　趙之謙　　　吳讓之　　　（飛鴻堂）

齊白石所刻「客」字併筆、章法，均有特色。

㉓「家」

　　　　　　　　吳昌碩　　　趙之謙　　　鄧石如　　　黃　易

齊白石篆刻筆畫尾端由於使用衝刀、尖挺。中間一豎筆，刻到最後橫出上揚，頗有楷風情意。此種趣味爲齊氏所獨具，不見於其他諸家。

㉔「壽」

　　　　　　　　吳昌碩　　　趙之謙　　　鄧石如　　　丁　敬

齊白石處理多筆畫的字，運用折角排列造成錯落有致的視覺效果。

㉕「小」

吳昌碩　　趙之謙　　吳讓之　　黃　易

「小」字趙之謙、吳讓之所刻三畫太平整均衡；吳昌碩利用筆畫長短表示趣味；黃易筆畫稍有長短，但三畫間距亦平均，齊白石則利用布白疏密表現趣味，比亦齊字之特色。

㉖「屋」

徐三庚　　黃　易　　丁　敬　　（飛鴻堂）

「屋」字齊白石白文、朱文處理不同，白文簡化，朱文平整繁複。

㉗「州」

吳昌碩　　趙之謙　　鄧石如　　丁　敬

　　齊白石所刻「州」字不似他其他篆刻家中規中矩，唯其將左右兩

圖略去，故形成齊氏簡化筆法之特色，此亦齊氏大膽創新之處。

㉘「年」

　　　　　　吳昌碩　　　趙之謙　　　吳讓之　　　黃　易

齊白石章法的特色：疏密開合。

㉙「心」

　　　　　　吳昌碩　　　趙之謙　　　鄧石如　　　丁　敬

　　齊白石「心」字用筆犀利，角度險峻。與其他諸家大異其趣，不

以工整見長，而以力道顯趣。

㉚「思」

　　　　　　吳昌碩　　　趙之謙　　　鄧石如　　　丁　敬

「思」字齊白石所刻筆畫粗細相極大，有墨韻的效果。

㉛「手」

　　　　　吳昌碩　　　趙之謙　　　吳讓之　　　丁　敬

骨架有趙之謙的味道，但中線挺勁，無人能比。頗具支撐效果。

㉜「書」

　　　　　吳昌碩　　　趙之謙　　　鄧石如　　　丁　敬

齊白石所刻「書」字似丁敬，但線條故意排列不齊，造成動態效果。

㉝「曹」

　　　　　王石經　　　徐三庚　　　趙之謙　　　丁　敬

齊白石所刻「曹」字簡化字體。筆法脫胎自浙派。

㉞「有」

　　　　吳昌碩　　　趙之謙　　　吳讓之　　　丁　敬

<u>齊白石</u>利用上鬆下堅，併筆處理，右直線撐起整個字，有力抵萬軍之勢。

㉟「樹」

　　　　吳昌碩　　　趙之謙　　　吳讓之　　　陳鴻壽

<u>齊白石</u>常把線條處理成橫平豎直的趣味。

㊱「江」

　　　　吳昌碩　　　趙之謙　　　鄧石如　　　陳鴻壽

<u>齊白石</u>所刻「水」部幾乎都以三直線衝刀，併筆處理，密極密，疏極疏。

㊲「游」

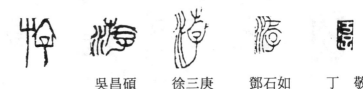

　　吳昌碩　　　徐三庚　　　鄧石如　　　丁　敬

此字齊白石所刻不見「水」部，今查甲骨、金文、石鼓文中幾乎無「水」部，齊氏所刻即出於古篆。

㊳「無」

　　吳昌碩　　趙之謙　　　鄧石如　　　丁　敬

齊白石所刻「無」字似丁敬字，但丁字莊整，齊字趣味則在筆畫不整中顯露出來。

㊴「王」

　　吳昌碩　　　趙之謙　　　吳讓之　　　黃　易

吳讓之，黃易二家筆畫平整，而齊白石筆畫長短參差造成勢趣，「王」字骨架似趙之謙，筆畫則類吳昌碩。

⑩「用」

吳昌碩　　鄧石如　　丁　敬　　（飛鴻堂）

齊白石所刻「用」字骨架似丁敬，然丁字工整，而齊字則剛勁，富於墨韻，「運刀如筆」，最堪玩味。

㊶「白」

吳昌碩　　趙之謙　　吳讓之　　黃　易

齊白石所刻「白」字上面一點處理有特色。中年所刻爲「白」，晚年所刻則爲「白」。

㊷「繼」

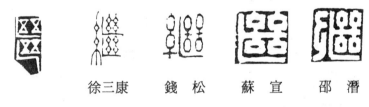

徐三康　　錢　松　　蘇　宣　　邵　潛

運用幾何圖形，簡筆與末尾衝刀，形式齊白石特色。

㊸「自」

　　　　吳昌碩　　　趙之謙　　　鄧石如　　　黃　易

「自」字<u>齊白石</u>運用間架不平穩造成鬆動的趣味。

㊹「華」

　　　　吳昌碩　　　趙之謙　　　吳讓之　　　丁　敬

<u>齊白石</u>在布白、末尾筆畫處理有特色。使整個字靈動有味。

㊺「藏」

　　　　吳昌碩　　　趙之謙　　　吳讓之　　　丁　敬

<u>齊白石</u>好以交叉線條造成力感，有陽剛之美。

㊻「道」

　　　　吳昌碩　　　趙之謙　　　鄧石如　　　丁　敬

齊白石把「辶」字造成「⟆」處理有特色。觀其他諸家則無此手法。本自「三公山碑」。

㊼「長」

　　吳昌碩　　　趙之謙・　　吳讓之　　　丁　敬

簡筆、併筆爲齊字之特色。明顯的見出齊白石側面衝刀所造成的筆畫特色。

㊽「易」

　　吳昌碩　　　吳讓之　　　黃易　　　（飛鴻堂）

由「易」字可明顯看出齊白石衝刀刀法，此字乃利用側鋒，而齊氏將刀幹弄得更傾側些，故線條邊光邊毛，形成剝落的自然效果。

㊾「阿」

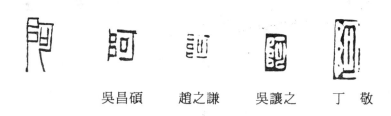

　　吳昌碩　　　趙之謙　　　吳讓之　　　丁　敬

右「可」字豎鈎處理有齊字特色。

⑩「雪」

　　　　徐三庚　　趙之謙　　黃　易　　（飛鴻堂）

齊白石爲一畫家，把「雪」字做畫面處理，有下雪的感覺，爲其他諸家所不及。

⑪「靜」

　　　　吳昌碩　　吳讓之　　丁　敬　　（飛鴻堂）

把鈎誇大拉長，亦是齊氏特色。如前所舉例⑩「何」、⑳「子」⑲「阿」等字，均於誇大中顯奇趣。

⑫「題」

　　　　吳昌碩　　黃士陵　　黃　易　　（飛鴻堂）

齊白石所刻「題」字右「頁」字處理特殊，其趣味同前⑬「兒」字。

㉝「風」

　　　　吳昌碩　　　鄧石如　　丁　敬　　　何　震

　　齊白石善於運用字的穿插、排比，造成緊密的效果，在緊密中不減筆畫力道，則爲其他諸家所不及處。

㉞「魯」

　　　　吳昌碩　　　胡　震　　黃　易　　　汪　關

　　齊白石「魯」字有筆寫的黑趣。

㉟「齊」

　　　　吳昌碩　　　趙之謙　　吳讓之　　　丁　敬

　　此字章法、用刀均有古拙之趣。大凡形體重覆成字者，齊白石總

不喜以筆畫工整爲上，而每多以參差不齊或粗細不一造成動態效果或布白特色，然則往往氣韻渾成。

㊻「齋」

吳昌碩　　趙之謙　　鄧石如　　黃　易

齊白石喜將菱形的形狀處理成較具簡潔的三角形，以符合他創作的理念。

由以上的比較分析，可歸納出齊白石篆刻的幾個特色：

㈠：一字之中單獨的一畫特別有力，有支撐一字的效果，如①「丁」、④「也」、⑯「千」、㉙「心」、㉛「手」、㉞「有」等字，由於中間一豎或下半一畫剛勁有力，而使整個有精神，不會有頭重腳輕之感。

㈡：線條常以直線代替曲線。如⑤「亦」、⑨「休」、⑭「八」、⑲「如」等字皆取其剛健一路，受「天發神讖碑」的影響。

㈢：字形、筆畫常以幾何圖形代之，造成特殊趣味。如⑤「內」、㉑「室」、㉖「屋」字白文、㊷「繼」、㊺「齊」、㊻「齋」等字，由於這樣的創作理念，故能使其作品表現出與衆不同的趣味。

㈣：運用併筆，表現章法特色。如②「之」、⑩「何」、㉒「客」、㊱「江」、㊼「長」等字皆用併筆創作，異於其他篆刻家的趣味。

㈤：利用筆畫排列不整齊或長短、參差不齊造成布白的特殊趣味，如②「之」、⑦「內」、⑮「畫」、⑱「唫」、㊳「無」、㊴「王」、㊸「自」等字都利用筆畫不平整的安排，避免呆板，不似其他篆刻家一板一眼，墨守成規。

㈥：把鉤誇大拉長。如⑩「何」、⑳「子」、㊾「阿」、(51)「靜」等字都是將鉤特別誇長，如此一來，不但不顯得突兀，反而使字更顯得靈活有趣。

㈦：利用疏密效果安排筆畫，此亦齊白石篆刻特色之一，於筆畫同一方向多的字，不刻意將它作整齊畫一的安排，反而利用「疏密」之法，營造出不同於其他篆刻家的韻味，如⑧「以」、⑫「僧」、㉘「年」、㊴「王」、㊵「用」、㊼「長」等字皆是。

㈧：簡化筆法：(甲)筆畫簡化

(乙)字體省略

一如前面所提及其他他各點特色，齊白石在深厚的書法基礎上從事篆刻，字體從傳統中出來，卻常能別出心裁，大膽創新。故齊氏的簡化筆法可分兩種，一爲「筆畫簡化」，如㉑「室」、㉖「屋」字白文、㉜「書」、㉝「曹」等字皆是；一爲「字體省略」，如⑪「作」、㉗「州」、㊱「江」字水部、(55)「齊」、(56)「齋」等字。

（附：齊白石與其他篆刻家印刻比較表）

文字	齊白石印刻	其他篆刻家印刻				齊白石印刻特色
丁		吳昌碩	趙之謙	吳讓之	丁　敬	簡當明快。
之		吳昌碩	趙之謙	吳讓之	丁　敬	其他四人在布白方面較平均，而齊字左邊的面積較窄，右邊則加以誇大，因此對比強烈。
主		吳昌碩	趙之謙	鄧石如	黃　易	單筆或筆畫簡單的字，常有尖端出現。
也		吳昌碩	吳讓之	（飛鴻堂）	（學山堂）	用筆犀利，角度險峻。
亦		吳昌碩	徐三庚	趙之謙	黃　易	線條常以直線代替曲線，取其剛健一路。
人		吳昌碩	趙之謙	鄧石如	丁　敬	間架方整。

內		吳昌碩	吳讓之	（飛鴻堂）	程大憲	內字處理用犀利的刀法刻出尖銳的三角形狀。
以		吳昌碩	趙之謙	鄧石如	錢松	運用疏可走馬、密不容針的原則處理以字，字的下半部庄縮，上半部豎畫挺立形成一種拔地而起的聳立的感覺。
休		鄧石如	汪關	（學山堂）	甘暘	齊氏把「木」字兩斜線簡化成幾乎水平的線條，極其特色。
何		吳昌碩	趙之謙	吳讓之	丁敬	運用併筆處理左右分隔的字，極有趣味，亦是齊氏特色之一。
作		吳昌碩	趙之謙	吳讓之	丁敬	「作」字右側由「乍」簡化成「乍」處理手法特殊。
僧		徐三庚	吳讓之	黃易	（飛鴻堂）	運用疏密處理表現齊字的趣味。
兒		吳昌碩	徐三庚	趙之謙	（學山堂）	齊氏常好把篆字平整的筆畫加以角度造成動勢。

八					將曲線做直線處理。
	吳昌碩	趙之謙	鄧石如	丁　敬	
畫					在平正的章法中，利用布白的不平衡造成一種趣味。
	吳昌碩	趙之謙	吳讓之	黃　易	
千					章法的特色：疏密開合。
	吳昌碩	趙之謙	鄧石如	丁　敬	
南					明顯的見出齊氏側面衝刀所造成的筆畫效果。
	吳昌碩	趙之謙	徐三庚	丁　敬	
唫					齊氏把「金」字簡化成四橫畫，但爲了避免呆板，四橫畫中錯落參差有致。
	徐三庚	吳讓之	桂　馥	黃　易	
如					齊氏好把篆書中懸針的特色加以誇大。
	吳昌碩	趙之謙	鄧石如	趙之琛	
子					齊氏在鉤的筆畫中往往加以拉長。
	吳昌碩	趙之謙	吳讓之	奚　岡	

室		吳昌碩	趙之謙	吳讓之	黃　易	簡化造成幾何。
客		吳昌碩	趙之謙	吳讓之	（飛鴻堂）	併筆、章法，均有特色。
家		吳昌碩	趙之謙	鄧石如	黃　易	筆畫尾端由於使用衝刀尖挺。
壽		吳昌碩	趙之謙	鄧石如	丁　敬	處理多筆畫的字，運用折角排列造成錯落有致的視覺效果。
小		吳昌碩	趙之謙	吳讓之	黃　易	齊氏善用衝刀，一刀下去，決不回刀，線條一邊平齊，一邊呈鋸齒狀，有痛快淋漓之感。
屋	 	徐三庚 	黃　易 	丁　敬 	（飛鴻堂） 	白文、朱文處理不同，白文簡化，朱文平整繁複。

州		吳昌碩	趙之謙	鄧石如	丁 敬	把左右兩圖略去，是齊氏簡化筆法的特色。
年		吳昌碩	趙之謙	吳讓之	黃 易	齊氏章法的特色：疏密開合。
心		吳昌碩	趙之謙	鄧石如	丁 敬	用筆犀利，角度險峻。
思		吳昌碩	趙之謙	鄧石如	丁 敬	筆畫粗細相差極大，有墨韻的效果。
手		吳昌碩	趙之謙	吳讓之	丁 敬	中線挺勁，無人能比。
書		吳昌碩	趙之謙	鄧石如	丁 敬	線條故意排列不齊，造成動態效果。
曹		王石經	徐三庚	趙之謙	丁 敬	簡化字體。

有					上鬆下堅，併筆處理，右直線撐起整個字，有力抵萬軍之勢。
	吳昌碩	趙之謙	吳讓之	丁 敬	
樹					把線條處理成橫平豎直的趣味。
	吳昌碩	趙之謙	吳讓之	陳鴻壽	
江					「水」部以三直線衝刀、併筆處理，密極密，疏極疏。
	吳昌碩	趙之謙	吳讓之	陳鴻壽	
游					不見「水」部，「水」部的處理有個人的特色。
	吳昌碩	徐三庚	鄧石如	丁 敬	
無					齊字趣味則在筆畫不整中顯露出來。
	吳昌碩	趙之謙	鄧石如	丁 敬	
王					筆畫長短參差。
	吳昌碩	趙之謙	吳讓之	黃 易	
用					齊字筆畫剛勁，富於墨韻。
	吳昌碩	鄧石如	丁 敬	（飛鴻堂）	

白		吳昌碩	趙之謙	吳讓之	黃　易	「白」字上面一點處理有特色。
繼		徐三庚	錢　松	蘇　宣	邵　潛	運用幾何圖形，簡筆與末尾衝刀，形成齊氏特色。
自		吳昌碩	趙之謙	鄧石如	黃　易	運用間架不平穩造成鬆動的趣味。
華		吳昌碩	趙之謙	吳讓之	丁　敬	布白、末尾筆畫處理有特色。
藏		吳昌碩	趙之謙	吳讓之	丁　敬	齊氏好以交叉線條造成力感，有陽剛之美。
道		吳昌碩	趙之謙	鄧石如	丁　敬	「辵」字處理有特色。
長		吳昌碩	趙之謙	吳讓之	丁　敬	簡筆、併筆為齊字之特色。

易		吳昌碩	吳讓之	黃　易	（飛鴻堂）	利用剝落的自然效果造成趣味。
阿		吳昌碩	趙之謙	吳讓之	丁　敬	右「可」字豎鉤處理有齊字特色。
雪		徐三庚	趙之謙	黃　易	（飛鴻堂）	把「雪」字做畫面處理，有下雪的感覺。
靜		吳昌碩	吳讓之	丁　敬	（飛鴻堂）	把鉤誇大拉長，亦是齊氏特色。
題		吳昌碩	黃士陵	黃　易	（飛鴻堂）	右「頁」字處理特色。
風		吳昌碩	鄧石如	丁　敬	何　震	運用字的穿插、排比，造成緊密的效果。
魯		吳昌碩	胡　震	黃　易	汪　關	有筆寫的墨趣。

齊		吳昌碩	趙之謙	吳讓之	丁　敬	章法、用刀均有古拙之趣。
齋		吳昌碩	趙之謙	鄧石如	黃　易	齊氏喜將菱形的形狀處理成較具簡潔的三角形，以符合他創作的理念。

第三節　齊白石篆刻疑義試評

　　齊白石的篆刻，確有他突過前人的地方。喜歡雄肆豪邁的人，對它往往多所贊譽。但喜歡溫雅的人，卻嫌其霸悍。熟於古印、諳於繆篆的，有時又對他的自我作篆，無視成法，感到不滿意，甚至斥為「野狐禪」。凡是有所創變，有一種不習見的藝術形式面世，要一下子都得衆好，那是不可能的。但他的自樹一幟，及其在創作上的革新精神，卻是任何人都公認的。（註十八）

　　從總的風格而言，他的篆刻以雄肆奔放見稱。但仔細品味，也有雄肆奔放的和較爲溫雅之別，當然，雄肆是主要的，這是他篆刻的基調。如「齊璜之印」、「大匠之門」、「奪得天工」、「我負人人當負我」、「魯班門下」、「飽看西山」、「何要浮名」、「要知天道酬勤」等印（註十九，看圖），這類都是雄肆淋漓、縱橫揮灑之作。比較溫雅的作品，似乎多見於朱文印，如「吾家衡岳山下」、「白石畫蟲」、「白石曾見」、「跛翁虎尾」、「煮畫山庖」等（註二十，看圖）；白文印中的「謝淵印信」、「落拓不羈」等（註二一，看圖），也可以屬於這類。所謂比較溫雅，也是就他自己的作品相比而言，如與他人作品相比，仍然是相當潑辣的了。

　　綜觀齊白石篆刻，白文印勝於朱文印。引盧說：

　　「齊白石酣暢的白文印，就像鐵筆在石面上縱情揮灑那樣，運刀

的輕重徐疾，起倒變化，無不明晰地展現在人們的眼前，給人以痛快淋漓的美的享受。他的朱文印當然也有它的特點。但畢竟不能一條線條就一刀地單刀馳騁，不大容易表現出運刀如筆，刃石霹歷有聲的藝術效果。」（註二二）

　　齊白石在「齊白石手批師生印集」中說：

　　「余怕刻朱文，看此印（註二三，看圖）弟亦受苦之態。故古印只有白文，可想朱文古人亦怕也。」（註二四）

其實，齊白石的見解並不正確，南北朝以前所有的印都是白文，因為以封泥的方法來實用。現存齊白石印過半數為白文印，（註二五）似乎他自己不喜刻朱文印。

　　正如古往今來許多偉大的藝術家一樣，有其足以藏諸名山，傳於後世之名作，亦有自己都不甚滿意之作。故齊白石有些作品，也不無可議之處。本來，一方印章的筆畫宜於橫直取勢的，則以方折為基調；筆畫宜於弧曲取勢的，則以圓轉為基調。這是篆刻家所共知和恪守的準則。但齊白石並不盡然，如「一擲千金渾是膽」一印（註二六，看圖），基本是方折取勢的，但「渾」字當中的「田」卻出之以圓形。餘如「客中月光亦照家山」一印（註二七，看圖）的「月」字、「有衣飯之苦人」一印（註二八，看圖）的「有」字，都在方直線條之中夾進半月的形體，它們有點不統一。餘如「浴蘭湯兮沐芳華」一印（註二九，看圖）的「沐」字，小篆形體應為「」，而他所刻則為「

」，其筆畫亦有可議之處；「肝膽照人」一印(註三十，看圖)的「照」字，小篆爲「[篆]」，而他所刻則爲「[篆]」；「一擲千金渾是膽」一印(註三一，看圖)的「是」字，小篆爲「[篆]」，而他所刻則爲「[篆]」；「知我還在」一印(註三二，看圖)的「還」字，小篆爲「[篆]」，而他所刻則爲「　　」；「學超之印」一印(註三三，看圖)的「學」字，小篆爲「[篆]」，而他所刻則爲「[篆]」；「五世同堂」一印(註三四，看圖)的「五」字，小篆爲「[篆]」，而他所刻則爲「[篆]」；「澤芝」一印(註三五，看圖)的「澤」字，小篆爲「[篆]」，而他所刻則爲「[篆]」，「借山門客」(註三六，看圖)的「借」字，小篆爲「[篆]」，而他所刻則爲「[篆]」，此皆爲值得商榷之處。

　　齊白石對某些印字的處理，則有疵病。如「一別故人生百憂」一印(註三七，看圖)的「[篆]」字，其右從攴不從久；「賀培新印」(註三八，看圖)的「[篆]」字，其右從斤不從刀　。

第四節　齊白石以印明志

　　齊白石是自來刻印最多，閒章也最多的(註三九)一位篆刻家。他不但用刀闊斧改變了印章的形式，更可以用印文記敘他一生的事蹟，刻出他的思想和見解，使篆刻加入了新的內容。(註四十)茲引述他所刻印的印文來一作一個說明於下：

印　　　文	故　事　內　容
「湘上老農」、「江南布衣」、「白石草衣」	因祖上務農，故有此號。
「齊璜」、「瀕生」	拜<u>胡沁園</u>、<u>陳少蕃</u>後得此名號。
「白石」	自號「白石山人」，「戊午後以字行」，所以以「齊白石」稱之。
「齊大」	他爲長子，故又此名。
「木人」、「木居士」、「齊木人」、「老木」、「老木一」	他十六歲時，從同鄉<u>周之美處</u>習木工，成名後不忘所本，故常用這些印。
「寄萍」、「寄園」、「寄幻仙奴」	後頻年旅寄，五出五歸，飄泊無定，故有這些印。
「白石老人」、「老白」、「老齊」、「白石山翁」、「借山老人」、「老齊郎」、「白石翁」、「萍翁」、「老萍」	年事漸高，故有常用「老」、「翁」以自嘲。

印　　　文	故　事　內　容
「借山吟館」、「寄萍堂」	因世居<u>杏子塢</u>，故將其居室名號刻成印文。
「杏子塢老尼」、「借山吟館主者」、「借山館主」、「寄萍堂主人」、「百樹梨華主人」	又於<u>寄萍堂</u>前手植梨樹三十餘株，所以有這些印。
「龍山社長」	曾與<u>王仲言</u>、<u>羅眞吾</u>、<u>羅醒吾</u>、<u>胡立三</u>、<u>陳茯根</u>、<u>譚子荃</u>等七人組「龍山詩社」，被推爲社長，故有此印。
「半聾」	晚年耳聾，故有此印。
「三百石印富翁」、「三百方石印富翁」	嘗蓄石盈三百方，失而復聚，故又有這些印。

印　　　文	故　事　內　容
「畫師白石」、「畫手齊白石」	因以畫名世，故有這些印。
「中國長沙湘潭人也」、「湘潭人也」	是說明籍貫的。
「星塘老屋後人」	他生於湘潭縣杏子塢星斗塘。
「佩鈴人」	他十一歲，每天山上牧牛。祖母不放心，用紅繩繫一小銅鈴，繫在他脖子上。到了傍晚，倚門人聞見鈴聲，才安心作飯。此印即紀念祖母一番苦心。
「有巢氏」、「魯班門下」「大匠之門」	他十六歲時，從周之美處習雕花，師傅將他視己出，故有這些印。他四十二歲時，周之美逝世，他很傷心，作了一篇大匠墓誌追悼他。充分表現中國人飲水思源的倫理思想。

印　　　文	故　事　內　容
「以農器譜傳吾子孫」	常自云是「有衣飯之苦人」、「吾草木眾人也」、「吾儕閑草木」，所以他願意「以農器譜傳吾子孫」。
「煮畫庖」、「煮畫山庖」、「甑屋」	他廿七歲以後，以賣畫為生，將其住屋號此。
「百梅畫屋」、「借山吟館」	卅八歲畫名知一方，收入漸豐，遂移居距星斗塘僅五里的梅公司，故有此名。
「借山館」	四十二歲，因王湘綺招遊南昌，囑聯句，不能對，歸後將「吟」字刪去。
「寄萍堂」	四十四歲又移居茹家坤，是時因屢出屢歸，故名其室曰此。

印　　　　文	故　　事　　內　　容
「八硯樓」	又自己設計一室，置所得八塊硯石於其中，故有此名。其實為平房，無樓。
「九硯樓」	至北平後增為九塊硯石，又有此名。
「樂石室」、「三百石印齋」、「白石草堂」、「白石吟居」、「澹靜齋」、「築已樓」、「劫餘亭」、「知白齋」	另外尚有這些齋館印。
「悔烏堂」	齊白石在民國廿四年，攜妾南行，祭掃先人墳墓。北返後，在日記上寫道：「烏鴉私情，未供一飽，哀哀父母，欲養不存。」他對親人的感情，是很真切的，故刻此石，以盡孝思。

印　　文	故　事　內　容
「甑屋」	他幼時，家中赤貧，三十歲後，靠雕花，賣畫養家，家中經濟漸有轉機，遂「寫了一張橫幅，題了『甑屋』兩個大字。意思是：『可以吃得飽啦，不致於像以前鍋裡空空的了一。』」他到老年時，賣畫的收入是很可觀的，可是他老愛說自己沒錢，常訓誡子女說：「常將有日思無日，莫把無時作有時。」也常常提醒自己，莫忘了當年「灶內生蛙」的苦境。
「吾幼掛書牛角」	他自幼家食，八歲其母以稻草上剩粒，積之換錢，供給讀書，未及一年而綴學。然好學成性，牧牛時尚不忘讀書，故有此印。
「癡思長繩繫日」、「恨不十年讀書」	他成名後，也常常想上進，有這些印。

印　　　文	故　事　內　容
「要知天道酬勤」、「君子以自强不息」、「鍥而不捨」	這是他藝術創作態度的直接表白。
「老手齊白石」、「齊璜老手」、「老萍手段」、「吾年八十九矣」、「年九十」、「老漢不老」、「九十二翁」、「接木移華手段」	他因有「墨緣」有「金石癖」有「書畫癖」，又能「鍥而不捨」，所以成名很快，但總覺得「心與身為仇」，力不從心。以為像這等「雕蟲小技」實在「慚愧世人知」，也實在是「浮名過實」，為了「無使名過實」，為了「何要浮名」，為了要「篤實」，於是「練筆養氣」，一直到「贏得鬢須殘雪」，才認為「老年肯如人意」。所以就刻了這些印。

印　　文	故　事　內　容
「有眼應識眞僞」、「吾畫徧行天下僞造居多」	他晚年長壽又多產，幾乎從一位名畫家變爲一個流行畫家，當年稱爲講究一點人家的客廳，幾乎沒有不掛一幅他的畫。<u>日本人</u>更是喜歡他的畫，因此僞造他畫的人也很多，故有這些印。
「我畫我法」	當然，他也知道有人批評他的作品「荒謬絕倫」，但他仍是我行我素。
「百怪來我腸」	他自己也感到此，所以他的畫有時確實怪誕。
「三千門客趙吳無」	他門下遍天下，故有此印。<u>趙</u>是<u>趙之謙</u>，<u>吳</u>是<u>吳昌碩</u>。
「私淑何人不昧恩」	談起師承他以爲除去正式師承之外，還應該有這樣的心境。

印　　文	故　事　內　容
「知己有恩」	對指點過自己的朋友也應該是如此。
「強作風雅客」、「窮後能詩」、「一闋詞人」	對於詩詞，他又有這些印，也可以窺見其對詩詞的梗概。
「吾道何之」	他常感慨自己的作品是否走的康莊坦途，所以有此印。
「吾道西行」	至名滿天下，歐西各國爭購他的作品時，則有此印。
「牽牛不飲洗耳水」	他因「生來癖性難偕俗」，且「獨恥事千竭」，所以一生不求宦達，他認為「功名一破甑」，故有此印。

印　　文	故　事　內　容
「心耿耿」、「無君子不養小人」、「知足勝不祥」	故一生布衣，爲「流俗之所輕也」，他認爲一個人應該有這樣的胸懷。
「未殺吾親吾無仇人」	他的性情很固執，生性至孝，有此之印。
「寡交因是非」	與人落落寡合，因免生是非，故記之。
「煮石」、「煮畫庖」	他幼年家貧，不能讀書，祖母曾云：「三日風，四日風，未見文章鍋裡煮。」之語，所以他後來以印畫爲生，賺得錢來之後，卻刻了這些印，表示他居然能夠以文藝來換飯吃了。

印　　　　文	故　事　內　容
「客久思鄉」、「客久子孫疏」、「歸計何遲」、「望白雲家鄉難捨」、「客中月光亦照家山」、「故國山花此時開也」、「夢斷麓山紅葉」、「麓山紅葉相思」、「歸夢看池魚」、「夢想芙蓉路八千」、「梨花小院思君」、「憶君腸欲斷」、「隔花人遠天涯近」	客居北平之後，雖說：「故鄉無此好天恩」，但仍是時常懷念故鄉。
「還家休聽鷓鴣啼」	於是「一襟幽事砌蛩能說」，就是還鄉，故有此印。他的鄉土觀念之濃，真非他人所能比。
「君子之量容人」、「寧肯人負我」、「我負人人當負我」	至於他待人，則有這些的想法。

印　　　　文	故　事　內　容
「兒女冤家」、「老爲兒曹作馬件」 「花未常開月未圓」	對於兒女，他有這樣的觀念，所以他財務始終自理，不假手他人。 又常「歡淸平在中年過了」到了晚年「容顏減盡但餘愁」，故有此之感慨。
「人長壽」	他自己享高齡，所謂「年高身健不肯作神仙」、「木以不才保其天年」，花不常開，月不常圓，只好求此。但願「人長壽」了。
「王樊先去天留齊大作晨星」、「老年流涕哭樊嘉」、「患難見交情」、「門人知己即恩人」、「門人半知己」	<u>王</u>是<u>王湘綺</u>，<u>樊</u>是<u>樊樊山</u>。他對於師友，非常忠懇，即使是學生，也是相敬如賓，從這些印，可見一斑。
「老豈作鑼下獼猴」	<u>神州</u>淪陷，河山變色，<u>中共</u>給他人民藝術協會主任委員職務，乃有此印以示心跡。

印　　　　文	故　事　內　容
「純芝」	齊白石乳名「阿芝」，排純字，故有此名。
「蘭亭」	祖父賜號。
「渭清」、「夢蘭生」	自號。

（註四一）

　　以上在所舉一百六十餘方印中，三十餘方印是在故事內容裡者。齊白石平生治印，何止萬計，此僅其百分之一二而已，而其一生遭遇，治學難苦，待人處世之種種，皆可於此中求之，實在也是印藝的新境地。

第五節　齊白石的鈐印法

　　一方印的質量與鈐印的技巧有密切的關係，王師北岳說：

　　「厚的印泥用來蓋大印，或齊白石、吳昌碩一類寫意的印。」（註四二）

　　又說：

　　「印文是寫意一派的，應該用力重些，如吳昌碩、齊白石等的作

品，就需要厚印泥重壓。」(註四三)

齊白石鈐印時，就用厚印泥重壓的方法，不僅有白文粗者轉細，更有朱文之細者轉粗。(註四四)故其鈐印法較爲獨特。

　　齊白石主張不必常清洗印面。關於這個方面，魯蕩平說：

　　「民國二十年左右在北平請齊白石刻了一大批印章，……齊先生告訴我，用印之後，把印即放在一個盒子裡，不必擦去印上的印泥，這樣用過十多次之後，因爲印泥黏在印面上，蓋出來反而覺得更樸厚可愛。」(註四五)此即齊白石用印後不擦乾淨之例，如此一來更覺得印面上有此舊有的印泥，增加印的樸厚。

　　齊白石在一印刻成後，不洗去印面上墨跡，只刷一下印面，即蘸了印泥鈐出，凡請他刻過的人，都可以發現這個現象，與其他篆刻家刻好印之後洗淨印面，又是不同。

第六節　齊白石的印譜

　　齊白石自三十七歲始編輯印譜，然第一本印識現已無存，且其他印譜，大同小異者有之；爲他人購去，無製書權者有之。他自己選輯的印譜如下所列。另外，他隨刻隨鈐，以書口有「白石山翁刊印」的框格，或空白無格的紙張，每印鈐存三數十份，或附少許舊刻，每冊二三十頁，便由南紙店售之四方，類此者爲數也不少。所以要準確統計他自輯過多少種印譜是不容易的。(註四六)

甲、自己選輯的印譜

印譜名	內　　容
(1)「寄園印存」	一八九九年輯。(註四七)本印譜之作品數量及性質皆不可考。時齊白石三十七歲。印拓已無存。
(2)「白石印草」	一九〇四年輯。把早年師法丁敬、黃易兩家印派的作品匯編在一起。前冠同年七月王闓運所寫序言。時齊白石四十二歲。一九一七湘潭兵亂，印拓已失落無存。(註四八)
(3)「白石草衣金石刻畫」	其他書之年代不詳。無序、跋。共四十四頁，印拓四十六方，均為原拓。從這本印譜中，可以明顯地看出，齊白石中年時期學趙之謙用功甚深，摹仿趙之謙所刻印章，言其「印奴」，毫不過分。(註四九)

印譜名	內　　　　　容
(4)「白石印草」	一九二八年輯。把一九一七年定居北平後所刻的印蛻選編在一起，共成四冊。共前仍冠王闓運的序言，並有同年十月的自序。這是齊白石在北平第一次編集的印譜，時年六十六歲。（註五十）
(5)「白石印草」	一九三三年輯。把一九一七年定居北平後至一九三三年前後十七年間所刻三千餘印中，選出二百三十四方認爲「對古今人而無愧者」，每印均親自拓存三百份，內有因求刻的人迫促取去，只拓得一二份的，則製成鋅版充數。前冠王闓運序。這次只成譜八十冊。譜一面世，便一散而盡。這是齊白石在北平第二次編集印譜，時年七十一歲。（註五一）
(6)「白石印草」	一九三三年輯。前拓存三百份的精選的二百三十四印，只成譜八十冊，即尚餘二百二十份，此次輯譜，將前譜中製鋅版的部份抽出，加入六十餘方七十歲以後所刻自用印，湊足原數，亦成譜八十冊，其前仍冠王闓運序，並有同年六月自序。這譜與前譜內容多數相同，實際是前譜的改編本。（註五二）

印譜名	內　　容
(7)「白石印草」	一九三三年輯。據齊白石「癸酉(一九三三年)秋自記印草」說：「余戊辰(一九二八)年出印書後所刻之印，爲外人購去印拓二百，此二百印，自無製書權矣。」因此他又把一九三〇、一九三一兩年所刻的印拓裝成六冊，一九三二、一九三三兩年所刻的印拓，裝成四冊，合共十冊，只成譜十套。這是齊白石在一年內所輯的第三種「白石印草」。(註五三)

乙、他人選輯的印譜

印譜名	內　　容
(1)「白石印草」	齊白石弟子賀孔才所輯，本印譜之序爲齊白石一九二五年(六十三歲)所作，但其成書年代則不詳；且本印譜之作品數量及性質皆不可考。(註五四)
(2)「齊白石作品選集」印譜部份	一九五六年由黎錦熙及白石五子齊良己合編，一九五九年人民美術出版社出版。這本選集，在齊白石生前，曾親自過目，並寫了序言。印譜部份選印一百五十五方較有代表性的作品多己選入。只惜製譜時少數印章鈐不精，原作精神未能充分體現。(註五五)

印譜名	內　　容
(3)「白石印譜」	一九六一年陳凡輯，香港上海書局出被。原為「齊白石詩文篆刻集」的一部份，亦獨立印行，名曰「白石印草」。共收印二百方，三分之二為齊白石藏用印，三分之一為應酬之作，其中部份是流傳香港和南洋等地的印作。（註五六）
(4)「齊白石作品集」第二集印譜部份	一九六三年齊白石作品集編輯委員會編輯。收綠齊白石自三十多歲到九十歲左右各個不同時期的較有代表性的篆刻作品三百八十八方印，其中第三十三頁「古潭州人」朱文印為白石學生羅祥止所刻，因印風相同而誤入，實為三百八十七方。前有傅抱石著「白石老人的篆刻藝術」一文是這本印譜的序言，評介齊白石印藝甚詳。(註五七)
(5)「齊白石印譜」	北平文物商店製，其成書之年代不詳。秦公鑒定。無序、跋，共收五十方印。手工鈐製作。

印譜名	內　　容
(6)「中國篆刻叢刊」第三十七卷「齊白石」	昭和五十八年東京二玄社編輯。收錄二百五十三方印。大部份作品為齊白石自用印。
(7)「齊白石書法篆刻」中印譜部份	一九八八年陳允鶴編輯，人民美術出版社出版。共收九十八方印。
(8)「齊白石畫集」中印譜部份	民國五十六年余毅然編輯，台北文化藝術公司出版。共收二百二十三方印。
(9)「印林」中「齊白石印選」	民國六十九年四月，台北印林編輯委員會編輯。共收八十五方，其中四方是流傳在韓國的作品。前有王北岳著「白石老人軼事」、「白石老人篆刻特色」兩文。

印譜名	內　　容
⑽「明清篆刻選輯」中齊白石印譜	民國七十一年王北岳編輯，台北佳藝美術事業有限公司出版，共收三十五方印。
⑾「齊白石手批師生印集」第一集二冊「齊白石印草」	一九八七年北平圖書館編輯，北平書目文獻出版社出版。收錄齊白石六十一歲到八十六歲所刻的作品四十七方印，手工鈐印。齊白石自己的手批能看到齊氏的篆刻藝術觀點。
⑿「齊白石印集」	一九八九年北平書目文獻出版社出版。收入齊白石篆刻作品三千件左右，是輯錄齊氏印作最多的一套印集，手工鈐印製作。（註五八）
⒀「齊白石印匯」	一九九〇年四月重慶博物館編，北平巴蜀書社出版。共收八百三十九方印。前有甲辰七夕的王闓運敘，並有戊辰多十月及癸酉秋八月的齊白石自敘。

印譜名	內　　容
⑭「四大名家款印」中「齊白石印譜」	一九九〇年許禮平編輯，香港翰墨軒出版。許禮平的序云：「這些印鑑，不僅可作鑑定書畫時之參考，同時亦可作爲名家篆刻藝術作品欣賞也。」(註五九)共收二百七十六方印。
⑮「名家翰墨」齊白石特集中印譜部份	一九九一年三月，香港翰墨軒出版。共收九十餘方印。
⑯「榮寶齋藏三家印選」中齊白石印譜部份	熊伯齊編輯，北平榮寶齋出版，最新版（年代不詳）。共收三十八方印。
⑰「齊白石印影」	一九九一年五月戴山青編，北平榮寶齋出版。共收一千五百六十九方印。
⑱「齊白石鐵書」	民國七〇年中國民俗學會編，台北東方文化書局出版。共收四十九方印。
⑲「齊白石印集」	一九八一年朵雲軒編，上海朵雲軒出版。前有朱屺瞻序。收入四十六方印，手工鈐印製作。
⑳「譚組安先生藏印」中齊白石印譜部份	王北岳編，手工鈐印製作。收入十四方早期的印。一九七二年拓編。

第七節　齊白石談篆刻藝術

　　本表裡的內容是齊白石一生當中所提及的篆刻藝術。本表則分門別類，歸納爲幾個專題：

　　㈠、齊白石印譜序及題他人印譜之作

　　㈡、齊白石談自己的印

　　㈢、齊白石談篆法

　　㈣、齊白石談刀法

　　㈤、齊白石談秦漢印及明清印人的作品

　　㈥、齊白石談印詩

　　㈦、齊白石談印學主張

使讀者能較有系統地看到齊白石的篆刻藝術觀點

㈠、齊白石印譜序及題他人印譜之作

內　　　　容	備　　註
(1)刻印無論古今人不能印印皆佳，前明文何終身不善變，一生無一佳印，何稱此日之名聲：前清四泠六家，惟丁君有數印能過當時人物。至趙無悶白文多，佳者十居五六，可謂空絕前人也。余此部中稍有七八印可觀，亦可謂平生幸事。孔才仁弟勿笑，余言狂且妄耳。癸亥四月廿五日白石山翁鐙下記。	齊題賀孔才拓「白石印草」一集序。

(2)自唐以來能刻印者惟趙悲庵變化成家，然刻十印之中最工穩者只二三也。孔才弟屬拓印草，不丑者或十之一二，啓余者培新也。所刻之竹新穩者較多，孔才猶謙謙若虛，眞古人風趣耳。乙丑多兄璜記。	齊題賀孔才拓「白石印草」二集序。
(3)余之刻印始於二十歲以前。最初自刻名字印，友人黎松庵借以丁、黃印譜原拓本，得其門徑。後數年得「二金蝶堂印譜」，方知老實爲正，疏密自然，乃一變。再後喜「天發神讖碑」，刀法一變。再後喜「三公山碑」，篆法一變。最後喜秦權，縱橫平直，一任自然，又一大變。憶自甲辰前摹丁、黃時所刻之印，雖經拓存，湘綺師賜以敘，至丁巳鄉亂，余欲避難離家，因棄印草，僅取敘文，藏之破壁，得免劫灰。然敘文雖存，印拓全沒。余不忍辜負師文，乃取丁巳後所刻諸印實之。是等諸印乃余偷活燕京，自食其力，無論何人求刻之印拓存之，共得四本，成爲印草，仍冠湘綺師敘於前。戊辰多十月齊璜白石山翁自敘，時居燕京。	「白石印草」自序。
(4)予戊辰年出印集後，所刻之印爲外人購去拓本二百。此二百印，自無制印集權矣。庚午、辛未二年所刻印，每印僅拓存六頁，得六亘冊，每冊訂爲十本，計印約五百方。壬申、癸酉二年，世亂至機，吾獨不移，閉門讀書。有剝啄扣門求畫及篆刻者，不識其聲，卻之。故篆刻甚少，只成印集四本，約印二百方，共得十冊。以上皆七十衰翁以朱砂泥親手拓存四精力，人生幾何！雖餓殍長安，不易斗米，是吾子孫珍重藏之，以待傾倒之知者。癸酉秋八月齊璜白石山翁自序時居舊京。	「白石印草」自序

(5)從來技藝之精神本屬士夫，未聞女子而能及。即<u>馬湘蘭</u>之畫 蘭，<u>管夫人</u>之畫竹一見知是女子所爲，想見閨閣欲駕士夫未 易。門人<u>劉淑度</u>之刻印，初學古人，得<u>漢</u>法。常以印拓呈余 ，篆法刀工無兒女氣，取古人之長，捨師法之短，殊爲閨閣 特出也。余爲點定此拓本後，因記數語歸之。辛未十二月<u>齊</u> <u>璜白石</u>，時居<u>舊京</u>。越明日乃壬申之日也。時年七十又二矣 。	<u>齊</u>題「淑度印 草」序。
(6)前朝庚戌多小住<u>長沙</u>，于<u>茶陵譚大武</u>齋中獲觀「二金蝶堂印 譜」，余以墨鉤其最心佩者。越明年此原譜<u>黎薇蓀</u>借來<u>皋山</u> ，余轉借歸<u>借山館</u>，以朱鉤之，觀者莫辨原拓鉤塡也。且刊 一印，其文曰：「<u>撝叔</u>印譜<u>瀕生</u>雙鉤塡朱之記」。迄今九年 以來，重游<u>京師</u>，于<u>歷肆</u>所見<u>撝叔</u>印譜皆僞本。今夏六月， <u>瀘江呂習恒</u>以「二金蝶堂印譜」與觀，亦系眞本，其印之增 減與<u>譚大武</u>所藏之本各不同只二三印而已。余令侍余游者<u>楚</u> <u>仲華</u>以塡朱法鉤之，又借人「二金蝶堂印譜」，擇其圍折筆 畫者亦鉤之，合爲一本，其印之篆畫之精微失之全無矣。<u>白</u> <u>石</u>後人欲師其法只可于章法篆法摹仿，不可以筆畫求之。善 學者不待余言。時己未六月廿六日<u>白石</u>老人記于<u>北平法源寺</u> 羯磨寮。	<u>齊</u>題「雙鉤本 二金蝶堂印譜 」序。
(7)吾友<u>師曾</u>，篆刻之道師<u>缶廬</u>，惟朱文之拙，能肖其神。自謂 學<u>缶廬</u>稍得之，故以染倉銘其室。學無二心者，於篆中可能 見之矣，予獨知<u>師曾</u>在戊午己未之間，漸遠<u>缶廬</u>，<u>周大烈</u>亦 語予曰：觀<u>師曾</u>畫用印，戊午以前師<u>缶廬</u>作，以後之印，刀 法篆勢，漸遠<u>缶廬</u>，蒼勁超雅，遠勝<u>漢</u>之鐵，亦非前代之創 做。<u>周</u>君所言，正與予言。惜<u>師曾</u>不能永壽，<u>大烈</u>亦不存， 予偏後死太息之。今<u>師曾</u>之門客<u>王</u>君<u>右石</u>錄「槐堂摹印淺說 」，所評論前人事，<u>師曾</u>曾與予常言及之地。己卯秋九月<u>白</u> <u>石齊璜</u>謹跋。	<u>齊</u>題「槐堂摹 印淺說」序。

(8)刻印者能變化而成大家，得天趣之渾成，別開蹊徑而不失古碑之刻法，從來只有趙撝叔一人。予年已至四十五歲時尚師「二金蝶堂印譜」。趙之朱文近娟秀，與白文之篆法異，故予稍稍變為剛健超縱。入刀不削不作，絕摹仿，惡整理，再觀古名碑刻法，皆如是，苦工十年，自以為刻印能矣。鐵衡弟由奉天寄呈手刻拓本二，求批其短長。予見之大異，何其進之猛也！其粗拙蒼勁，不獨有過於予，已能超出無悶矣。凡虛心人不以自滿，工夫深處而未能知。故題數語於印拓之前，亦做為前引可矣。戊寅春二月時居北平，齊璜。	齊題「半聾樓印草」序。
(9)人生於世，不能立德立功，即雕蟲小技亦可為。然欲為則易，工則難，識者尤難得也。予刻印六十年，幸浮名揚於世，譽之者固多，未有如朱子屺瞻，即以六十白石印自呼為號，又以六十白石印名其軒，自畫其軒為圖，良工苦心，意成長卷，索予題記，欲使白石附此而傳耶：白石雖天下多知人，何若朱君之厚我也。遂跋數語。甲申秋，八十四歲白石尚客京華，寄朱君海上。	齊跋朱屺瞻畫「六十白石印軒圖卷」。
(10)六十白石印富翁姓朱，字屺瞻，海上畫家也。前廿年來，至甲申得予所刻印六十石，自呼六十白石印富翁為號，至今丙戌已越三年。從亂離中繞道五萬里外尚寄印來京華，所添印又將甘余石，共拓之成書，名「白石印存」，寄來請予序，予不能辭，又不能將朱君作魏稼孫看為多事。因朱君工畫，畫幅上加閑話印以助雅觀，其意趣正與余同。聊記數語，非為序。丙戌八十六歲白石老人。	齊題「梅花草堂白石印存」序。
(11)予五十五歲後，居京華所刻之石，約三千餘方。當刻時，擇其對古今人而無愧者，計二百三十四印，每印拓存三百頁。有求刻者促迫取法，不能拓存。三百頁者，拓存一二方製成鋅印合手拓，僅成白石印草八十頁，一散而盡。此冊重製，有七十歲以後所刻，自家常用印六十餘加入，換出以前鋅印勿拓再成八十冊，仍用湘綺師原序冠之。癸酉夏六月時居京華之西域齊璜白石自序。	「白石印草」自序。

(二)、齊白石談自己的印

內　　　　　　　　容	備　　　註
(1)二字不見做作，作爲好手。	齊批自刻「彪岑」（圖67）
(2)洗去雕琢氣，作爲好看。	齊批自刻「海陵」（圖68）
(3)近刊之石，此爲第一，弟外無人稱許也。	齊批自刻「簡廬」（圖69）
(4)此乃余之最工細者，可以渾入無悶印譜中也。	齊批自刻「石檜書巢」（圖70）
(5)氣勢盈滿，無流俗修削工夫。	齊批自刻「徐再思印」（圖71）
(6)余所記數印，未知陳朽見之以爲何如？	齊批自刻「與辛」（圖71）
(7)以老實筆墨刊此朱字，非深知三味者不識其工。	齊批自刻「朱家璠」（圖73）
(8)此印今日刊印者以及賞鑑家不能誇其何如爲好。	齊批自刻「肯信吾兼吏隱名」（圖74）
(9)此二字比之無悶各有意態，余不謂余不能刻印。	齊批自刻「印奴」（圖75）
(10)此刻純似漢人所作，無甚味。	齊批自刻「梅瀾」（圖76）
(11)此石之側記云：「此石他日常值五十金，余不願外人所得」，孔才弟以爲何如？	齊批自刻「黔陽謝淵收藏秦漢以下金石文字之印」（圖77）

(三)、齊白石談篆法

內　　　　　容	備　　　註
(1)水旁，此漢人印篆之法，不宜常刊，宜篆此二字，，警字篆法上節少鬆。	齊批賀孔才刻「警涵」（圖78）
(2)條石篆四字最難，古今人亦不喜刊。	齊批賀孔才刻「邦理私印」（圖79）
(3)篆法有別趣。此石乃朱文中之最佳者，不獨言弟，即居京師之刊印家，刻此二字不過如是。	齊批賀孔才刻「擢星」（圖80）
(4)篆法乃見用心，其刀法未到十分純熟，覺散亂，此中三昧非獨在用心，亦與年俱進。	齊批賀孔才刻「孔才十五以後所作」（圖81）
(5)「玉」字未成篆文，無論古今人刊過，不得為法，可添一筆，改一筆，「玊」便成篆文矣。	齊批賀孔才刻「謝玉樹印」（圖82）
(6)此印有「白」、「山」、「人」三字，殊難篆刻，此刻要算工穩。	齊批賀孔才刻「白雲山人」（圖83）
(7)「行」字不雅觀，「敬」字與「行」字有推讓之病。	齊批賀孔才刻「行吾敬與人忠」（圖84）

⑻「長」字下太寬，偶爾一印可矣，若字字之「長」下寬，未免帶江湖習氣。「銑」字之「金」字亦短。	齊批賀孔才刻「張銑」（圖85）
⑼筆法超穩無縱橫氣，看之尋常，為之不易，可謂得三昧。	齊批賀孔才刻「李榮騏印」（圖86）
⑽筆法秀勁，工雅，不見奇特。非深知三昧者不能做出。	齊批賀孔才刻「潘繩祖印」（圖87）
⑾此二字難篆，古人非其字不刻之謂也。	齊批賀孔才刻「易門」（圖88）
⑿易翁名字，皆不易篆，吾弟為刻過多，驚人者何少，只能怪其字不責刻者之心手也。	齊批賀孔才刻「王宏」（圖89）
⒀此「暄」字即吳讓之所謂讓頭舒足為多事，波字佳。	齊批賀孔才刻「暄波」（圖90）
⒁「人」旁本不易篆，「山」字稍低下，若是無悶篆縮上一半。「實」字真老實，有連邊之嫌。	齊批賀孔才刻「仙實」（圖91）
⒂大局雖勻，字字卻少精力，「李」字外且不足雅觀。	齊批賀孔才刻「李炳瑗印」（圖92）

⒃「逸」字無論是何高手篆刊不能不丑。	齊批賀孔才刻「逸廬」(圖93)
⒄「夜」字不易篆，我見亦怕。	齊批賀孔才刻「吟詩一夜東方白」(圖94)
⒅此二字，予亦不能刊好。	齊批劉淑度刻「岑生」(圖95)
⒆「伯」字宜少短，「麟」字加長，下部不促矣。	齊批劉淑度刻「張伯麟印」(圖96)
⒇四字太勻，「學」字宜短，「濤」字宜長。	齊批劉淑度刻「趙學濤印」(圖97)
(21)「羡」字與「汾」字共見，零零碎碎，似不成章，筆法又過於勻且細也。	齊批劉淑度刻「羡鍾汾」(圖98)
(22)「生」字中橫過長。	齊批馬景桐刻「瞶瞶生」(圖99)
(23)「光」字有俗氣。	齊批馬景桐刻「光門」(圖100)
(24)前二字筆細而有力，後二字惜柔弱矣。	齊批馬景桐刻「邊治平印」(圖101)
(25)篆法卻是，惜字之筆畫太多，無空氣可觀。	齊批馬景桐刻「道弘屬稿」(圖102)
(26)比石篆法，好在筆畫粗索，疏密有趣，不能再工，篆刻中無上妙品也。	齊批周鐵衡刻「虛度古稀半」(圖103)
(27)別無出新之法，只宜如是。	齊批周鐵衡刻「半聾秘笈」(圖104)

㈣、齊白石談刀法

內　　　　　容	備　　　　　註
⑴我刻印，同寫字一樣。寫字，下筆不重描，刻印，一刀下去，決不回力。我的刻法，縱橫各一刀，只有兩個方向，不同一般人所刻的，去一刀，回一刀縱橫來回各一刀，要有四個方向。篆法高雅不高雅，刀法健全不健全，懂得刻印的人，自能看得明白。我刻時，隨著字的筆勢，順刻下去，並不需要先在石上描好字形，纔去下刀。我的刻印，比較有勁，等於寫字有筆力，就在這一點。常見他人刻石，來回盤旋，費了很多時間，就算學得這一家那一家的，但只學到了形似，把神韻都弄沒了，貌合神離，僅能欺騙外行而已。他們這種方法，只能說是蝕削，何嘗是刻印。我常說：世間事，貴痛快，何況篆刻是風雅事，豈是拖泥帶水，做得好的呢？	齊氏七十二歲的「白石老人自述」
⑵另有趣味在用刀。	齊批自刻「冬嶺樵人」（圖105）
⑶二字篆法超勁，余願吾賢師法捨短。	齊批賀孔才刻「仲宏」（圖106）
⑷用刀之力，苦寶刀截玉如泥。	齊批賀孔才刻「張寶琳印」（圖107）
⑸下刀如寫草書，惟我與汝有是。	齊批賀孔才刻「千仞振衣」（圖108）
⑹過于瘦必露刀鋒也。	齊批賀孔才刻「胡宗照印」（圖109）
⑺單刀絕妙。	齊批賀孔才刻「謝溥」（圖110）
⑻筆輕力大，截玉如泥。	齊批賀孔才刻「游戲人間」（圖111）

田、齊白石談秦漢印及明清印人的作品

內　　　　　　　容	備　　　　　註
(1)世之俗人刻石，多有自言仿秦漢印，其實何曾得似萬一。余刻石竊恐似秦漢印，昨有友人陳半丁稱此印純是漢人之作最佳者，因工力所至也。	齊批自刻「汪之麒印」（圖112）
(2)此印乃弟近刊四十八石之第二也。余願弟胸中須羅秦漢人，不必獨有白石也。	齊批賀孔才刻「賀植新印」（圖113）
(3)純似爛銅文，故古人印易為，余此言為世人所竊笑也。	齊批賀孔才刻「張熙兢印」（圖114）
(4)純是秦漢思想，不假琢雕，自然古雅。	齊批賀孔才刻「別存古意」（圖115）
(5)幾乎便是漢刻，非弟上品。	齊批賀孔才刻「孫文錦印」（圖116）
(6)似爛銅文，近丑態也，刻印有似秦漢人者，吾儕恥之。	齊批賀孔才刻「但恨無過石濤」（圖117）
(7)鐘鼎之字乃冶金也，學者大愚。弟刊此「十」字欲與世之愚蠢者同儕耶？余甚恥之。	齊批賀孔才刻「十年雪牧歸來」（圖118）

(8)此印太似<u>漢</u>人，余看時不願長揖。	<u>齊批賀孔才</u>刻「亞琴」（圖119）
(9)似<u>黃莫父</u>(系<u>黃牧甫</u>之誤)，雖工整而不版，未易下刀，宜以此刊法問人。	<u>齊批賀孔才</u>刻「賈廷琳君玉父」(圖120)
(10)<u>趙無悶</u>善篆印，然「子」字不易佳。	<u>齊批賀孔才</u>刻「子建」（圖121）
(11)刀法最工，純似<u>純丁</u>刻畫。	<u>齊批賀孔才</u>刻「離門」（圖122）
(12)<u>無悶</u>多此篆法在，<u>無悶</u>不常多佳作，弟可不為。	<u>齊批賀孔才</u>刻「心泉持贈」(圖123)
(13)「ʊ、Ɛ」恐近<u>徐三庚</u>，吾弟羞矣。	<u>齊批賀孔才</u>刻「又新吟草」(圖124)
(14)「子」之(系字之誤)之柔弱，正似<u>悲盦</u>。	<u>齊批賀孔才</u>刻「性存」（圖125）
(15)此印不能謂不佳，惟「竟」字略似<u>徐三庚</u>。幸只此一字，若字字如是，即入江湖氣習矣。	<u>齊批賀孔才</u>刻「百竟盦審藏記」(圖126)
(16)似<u>文三橋</u>，七八歲小孩子皆能刓得出來，偶爾一刻可矣。	<u>齊批劉淑度</u>刻「南溪」（圖127）

㈥、齊白石不談印詩

內　　　　　容	備　　　　　註
(1)消愁詩酒興偏賒，濁世風流出舊家。 　　更怪雕鐫成絕技，少年名姓動京華。	孔才弟乙丑刻印書後。 璜。
(2)漢璽秦權匠趣殊，冶鑄惟子解從矛。 　　蛇神牛鬼推君有，活虎生龍捉者無。 　　下拜獨怜雙蝶美，久傳還羨六家俱。 　　工夫深處殘燈識，體欲人逢譽大巫。	孔才仁弟所刊。齊璜題記。
(3)揅磨捉削可愁人，與世相違我輩能。 　　快劍斷蛟成死物，昆刀截玉露泥痕。 　　僞鑪灘縣與人殊，鼓鼎盤壺印璽俱。 　　笑殺冶工三萬輩，漢秦以下士人愚。 　　解恥鐫銅笑鑄鐵，青年賀趙眞奇絕。 　　生龍活虎馬行空，擊電流雲天忽烈。	牟平趙生大廷乙丑冬來京華拓自刊印贈余，余題三絕句兼書孔才弟此印草後。小兄璜。
(4)世人皆罵效予爲，洗儘凡刀做削非。 　　村水細流天欲倒，館雲四布雨斜飛。 　　啇也起予余願足，壯夫怜汝宦情違。 　　高人可作今難作，不見湘山未敢歸。	卷面題詩共三本，皆孔才弟丁卯所刊也。璜。

(5)賀生刀筆勝昆吾，截玉如泥事業殊。 　小技那應從白石，無情何不慕南狐。	孔才仁弟已將蘭出青，丙寅、丁卯二年所刊印共得六本，余為評定後復為題記之。兄齊璜時同居京華。
(6)縱橫歪倒貴天眞，削作平勻稚子能。 　若聽長安流俗論，漢秦金篆儘旁門。	答婁生刻石兼示羅生詩
(7)莫誇白石把昆吾，手力強君目不如。 　鐵畫飛空驚異拙，朱文入細繭絲粗。	友人呈印草題後
(8)解恥鐫銅笑鑄鐵，青年二子為奇絕。 　生龍活虎馬行空，系電流雲天忽裂。	看「某生印草」題句兼寄
(9)石潭舊事等兒孩，磨石書堂水亦災。 　風雨一天拖雨屐，傘扶飛到赤泥來。 　誰云春夢了無痕，印見丁黃始入門。 　今日羨君贏一著，兒為博士父詩人。	「憶羅山往事」二首
(10)造物經營太苦辛，被人拾去不須論。 　一笑長安能事輩，不為私淑即門生。	自潮詩

(七)、齊白石談印學主張

內　　　　　　容	備　　　　註
(1)無做琢氣，自然高雅，即好刻手也。	齊批賀孔才刻「潘式印信」（圖128）
(2)脫盡凡格，不見做作，即為佳刻。	齊批賀孔才刻「子靖」（圖129）
(3)熟極反生，尋常眼孔不能知期微妙處。	齊批賀孔才刻「孫峰」（圖130）
(4)謹防人曰學爛銅文也。	齊批賀孔才刻「養晦齋」（圖131）
(5)瘦硬通神，卻為服李陽冰者非之，吾弟勿聽也。	齊批賀孔才刻「燕賡」（圖132）
(6)四字古極雅極，此時之京華刻印家不能夢見，即吾輩亦不常有也。吾予刻石止平此矣。	齊批賀孔才刻「倘宗周印」（圖133）
(7)喜方硬，吾常有此刻法。	齊批賀孔才刻「涵九」（圖134）

(8)石過六分，只刊一字，有求我刊者，我亦不樂爲。	齊批賀孔才刻「毅」（圖135）
(9)余不喜摹古，見人摹之又不能似，深恥之。	齊批賀孔才刻「何世珍」（圖136）
(10)余怕刻朱文，看此印弟亦有受苦之態。故古印只有白文，可想朱文古人亦怕也。	齊批賀孔才刻「李芝翰墨」（圖137）
(11)余看古今刻印家無人不做削非吾過言也。不做不削者，自能欽佩，不以吾爲妄耳。	齊批賀孔才刻「游心物外」（圖138）
(12)此印吾與孔才弟外天下人有夢見者，吾當以畫幅爲贈，請訂交於晚年，何如？	齊批賀孔才刻「泊廬」（圖139）
(13)秀硬之筆，非削印家能夢見。	齊批賀孔才刻「欒城聶氏」（圖140）
(14)余刊印由秦權漢璽入手，苦心三十餘年，欲自成流派，願脫略秦漢，或能名家，每下刀偏不似刀刻，僅類鑄冶。孔才弟近作已與余同此病，余怡之，因爲記。	齊批賀孔才刻「吳兆璜印」（圖141）

(15)余五十歲以前，不肯與人刊收藏印，竊恐汙人字畫書籍。此印篆法稍工或可用。總之，少與人刊爲好。	齊批劉淑度刻「白石坡珍藏」(圖142)
(16)光緒三十一年，我四十三歲，在黎薇蓀家裡見到趙之謙的「二金蝶堂印譜」，借了來，用硃筆鉤出，倒和原本一點沒有走樣。從此我刻印章，就摹倣趙撝叔的一體了。	「白石老人自述」
(17)予之刻印，少時即刻意古人篆法，然後即追求刻字之解義，不爲摹、倣、削三字所害，虛擲精神。人譽之，一笑；人罵之，一笑。	易恕孜著「白石老人生平略記」
(18)「甑屋」二字早刻之於石，癸酉夏，無可消愁，自行刻印，檢得此石，亦早篆上「甑屋」二字，不忍洗去，後重刻之。白石。	齊刻「甑屋」朱文印之邊款。(圖47)
(19)此三字五刻五畫始得成章法。非絕世心手不能知此中艱苦，尋常人見之，必以余言自誇也。庚申四月二十六日記，時家山兵亂，不能不憂，白石老人又及。	齊刻「木居士」白文印之邊款。(圖33)
(20)余刊此石，無意竟似撝叔先生，人皆以爲大好矣，余不能去前人之窠臼。慚慚愧愧。白石幷記。	齊刻「淨樂無恙」白文印之邊款。(圖29)

　　本節收錄的齊白石批語，都是在「齊白石手批師生印集」中選出來的。這些批語反映了以齊派師生們，在本世紀前半期的篆刻藝術實踐中，通過鍥而不捨，刻苦鑽研和相互切磋、同心同德而創造出的豐碩成果。

　　由批語內容可以看出齊白石所追求的是一種「自然」、「天眞」的藝術境界，而這種發揮性情的高層次藝術境界，正如孔子所謂「隨心所欲，不逾矩」，這與那些功力不到而盲目追求「新」、「奇」者，有著本質上的差異。清劉熙載「藝概、書概」云：

　　「學書始有不工求工，繼由工求不工。不工者，工之極也。」

　　莊子「山水篇」曰：

　　「旣雕旣琢，復歸于樸，善夫。」

不難看出，齊白石追求的「自然」、「天眞」正是如此。他的這種藝術追求，是熟中求生，是一種自然樸實美。

　　這些批語以齊派師生的具體作品爲基礎，逐件剖析：有的是品評其篆法、章法、刀法的優劣，有的是鑑別其格調、神韻、氣勢的高低。由於它有形象的感覺，深刻的分析，具體的指導，樣品的示範，給人的印象十分鮮明。這些批語，對於了解齊白石篆刻藝術理論和中國篆刻藝術的發展，實是有所裨益的。

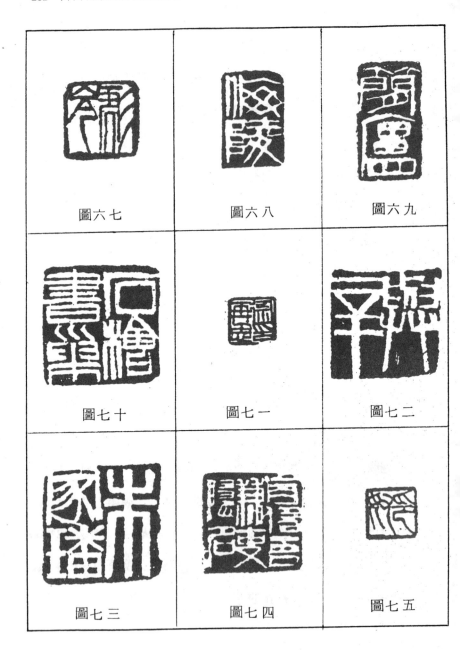

圖六七 　　　 圖六八 　　　 圖六九

圖七十 　　　 圖七一 　　　 圖七二

圖七三 　　　 圖七四 　　　 圖七五

圖七六　　　　　　圖七七　　　　　　圖七八

圖七九　　　　　　圖八十　　　　　　圖八一

圖八二　　　　　　圖八三　　　　　　圖八四

圖八五　　　　圖八六　　　　圖八七

圖八八　　　　圖八九　　　　圖九十

圖九一　　　　圖九二　　　　圖九三

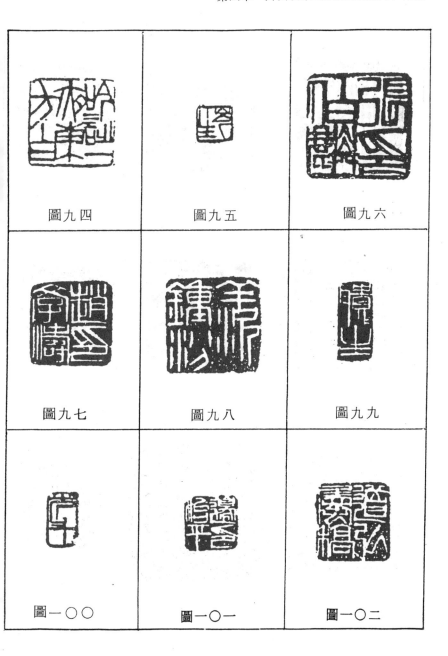

圖九四　　　　　　圖九五　　　　　　圖九六

圖九七　　　　　　圖九八　　　　　　圖九九

圖一〇〇　　　　　圖一〇一　　　　　圖一〇二

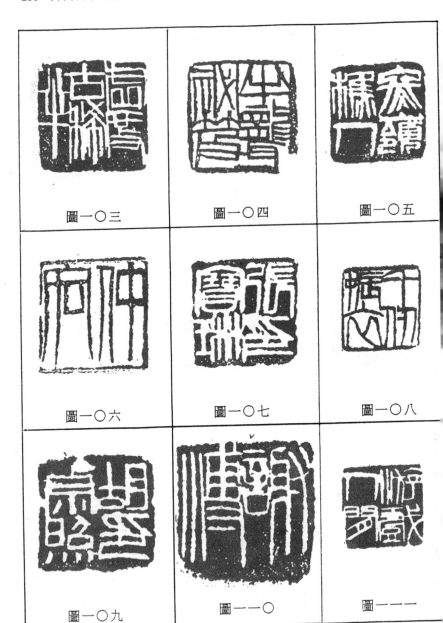

圖一〇三　　　圖一〇四　　　圖一〇五

圖一〇六　　　圖一〇七　　　圖一〇八

圖一〇九　　　圖一一〇　　　圖一一一

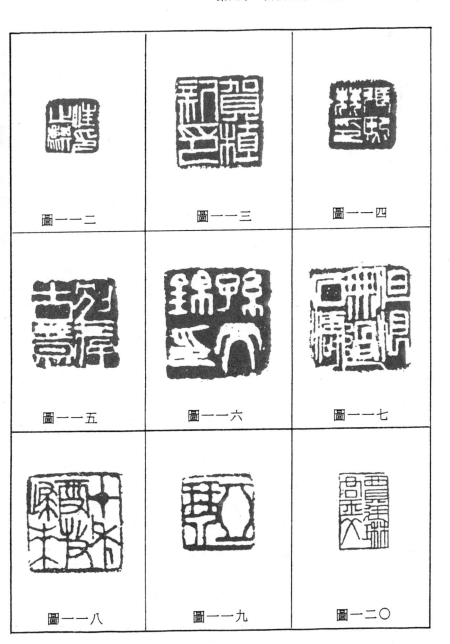

圖一一二　　　　　圖一一三　　　　　圖一一四

圖一一五　　　　　圖一一六　　　　　圖一一七

圖一一八　　　　　圖一一九　　　　　圖一二〇

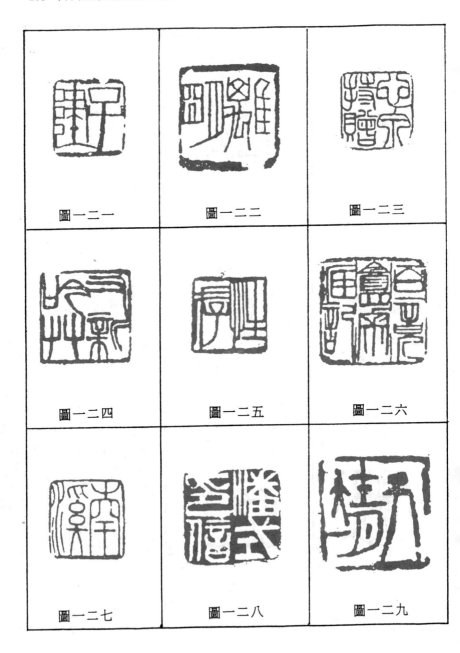

圖一二一　　　　　圖一二二　　　　　圖一二三

圖一二四　　　　　圖一二五　　　　　圖一二六

圖一二七　　　　　圖一二八　　　　　圖一二九

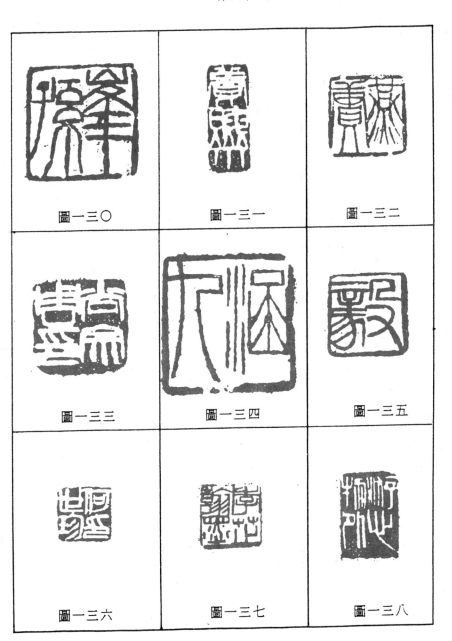

圖一三〇　　　　圖一三一　　　　圖一三二

圖一三三　　　　圖一三四　　　　圖一三五

圖一三六　　　　圖一三七　　　　圖一三八

圖一三九

圖一四〇

圖一四一

圖一四二

註　釋

註　一：馬國權，白石老人的篆刻（香港：名家翰墨，一九九一年三月，總第十四號），頁八五。

註　二：王壯爲，齊白石早期的印章（藝文誌，民國五十四年十月，第一期），頁四九。

參看丁拔貢所刻：

「譚延闓印」　　　　　　「組盦」

註　三：高畑常信，篆刻の歷史と鑑賞（東京：秋山書店，昭和五十七年），頁二三〇。

參看吾丘衍所刻：「恨不十年讀書」

王師北岳認爲這方印的邊款是僞作。蓋印章在明代才出現邊款，吾丘衍爲元代人，可見是爲僞作。

註　四：王壯爲，齊白石早期刻石及家藏印譜之研究（ 篆刻年刊，民

　　　　國七十一年十二月，第四期 ），頁二。

註　五：齊白石口述、張次溪筆錄，白石老人自述（ 台北：傳記文學

　　　　出版社，民國五十六年 ），頁八五。

註　六：同註二。

註　七：同註二。

註　八：同註二。

註　九：同註二。

註　十：同註二。

註十一：王北岳，篆刻藝術（台北：漢光文化事業股份有限公司，民國七十九年七月，九版），頁四六。

註十二：林素清，篆刻(台北：幼獅文化事業公司，民國七十五年)，頁九三。

註十三：劉一聞，何謂印章的邊款。上海古籍出版社編，古代藝術三百題(上海：上海古籍出版社，一九八九年)，頁一九〇。

註十四：馬國權，篆刻技法中的邊款問題（書論，一九八五年，總第六十七期），頁六九。

註十五：引廬，齊白石的篆刻和印譜（香港：書譜，一九七八年六月，總第二十二期），頁十一。

註十六：齊白石所刻：「豈辜負西山杜宇」與山水畫邊款

註十七：同註十三，頁一八七。

註十八：同註十五，頁十。

註十九：齊白石所刻：

「齊璜之印」

「大匠之門」

「奪得天工」

「我負人人當負我」

「魯班門下」

「飽看西山」

「何要浮名」

「要知天道酬勤」

註二十：齊白石所刻：

「吾家衡岳山下」

「白石畫蟲」

「白石曾見」

「破翁虎尾」

「煮畫山庵」

註二一：齊白石所刻：

「謝淵印信」

「落拓不羈」

註二二：同註十五，頁十。

註二三：賀孔才所刻：「李芝翰墨」

註二四：北平圖書館編，齊白石手批師生印集，第三集三冊（北平：

　　　　書目文獻出版社，一九八七年），頁三一八。

註二五：見戴山青編，齊白石印影（北平：榮寶齋，一九九一年五月

　　　　）一書，本書共輯一五六九方印，其中63％為白文印。

註二六：齊白石所刻：「一擲千金渾是膽」

註二七：齊白石所刻：「客中月光亦照家山」

註二八：齊白石所刻：「有衣飯之苦人」

註二九：齊白石所刻：「浴蘭湯兮沐芳華」

註三十：齊白石所刻：「肝膽照人」

註三一：參看同註二六的印。

註三二：齊白石所刻：「知我還在」

註三三：齊白石所刻：「學超之印」

註三四：齊白石所刻：「五世同堂」

註三五：齊白石所刻：「澤芝」

註三六：齊白石所刻：「借山門客」

註三七：齊白石所刻：「一別故人生百憂」

註三八：齊白石所刻：

「賀培新印」

註三九：李應強，從齊白石題跋研究白石老人（台北：文史哲出版社，民國六十六年），頁二八。

註四十：王北岳，齊白石以印明志（聯合報，民國五十五年九月十五日）

註四一：本表參考書目：

齊白石口述、張次溪筆錄，白石老人自述。台北：傳記文學出版社，民國五十六年。

王北岳，齊白石以印明志。聯合報，民國五十五年九月十五日。

胡適，齊白石年譜。台北：胡適紀念館，民國六十一年。

李應強，從齊白石題跋研究白石老人。台北：文史哲出版社民國六十六年。

各種齊白石印譜。

註四二：王北岳，篆刻闡微（十一）（藝術家，民國六十五年十一月，第三卷第六期），頁一四七。

註四三：同前註。

註四四：金晴江，東洋美術論（漢城：友一出版社，一九八〇年），頁

三一六。

註四五：同註四二。

註四六：同註十五，頁十。

註四七：馬達為輯述，齊白石年表（香港：名家翰墨，一九九一年三月，總第十四號），頁一一〇。

註四八：同註十五。

註四九：繆永舒，齊白石篆刻藝術風格的形成（北平：美術史論，一九九一年，總三十七期），頁九十。

註五十：同註十五，頁十。

註五一：同註十五，頁十。

註五二：同註十五，頁十。

註五三：同註十五，頁十。

註五四：參看同註二四的第一集一冊。

註五五：同註十五。

註五六：同註十五。

註五七：同註十五。

註五八：楊廣泰撰，齊白石談篆刻藝術（北平：書目文獻出版社，一九八九年九月），頁五。

註五九：許禮平編，四大名家款印序（香港：翰墨軒出版有限公司，一九九〇年十月），序。

第五章　齊白石篆刻藝術的成就及其對後世的影響

第一節　齊白石篆刻藝術的成就

　　任何一位偉大的篆刻家，他的成就都不是偶然的，不是靠異想天開或模仿別人所能取得的，而是由各方面的因素匯聚而成的。其中最重要的因素有；深厚的篆刻藝術淵源和傳統功力；篆刻家個人的材華秉賦和創造精神；時代與社會的進步影響等。

　　齊白石成爲中國現代偉大的篆刻家，自然離不開這幾方面的因素。他篆刻藝術的成就，乃是經歷過長期艱苦歲月鑽研得來的。年輕時候，爲了刻印，弄得房間到處是水：

　　「石潭舊事等心孩，磨石書房水亦災。」(註一)

可見他的苦學情況。

　　他自評的藝術成就是「詩第一、印第二、書第三、畫第四。」但亦有「印第一、詩第二、書第三、畫第四。」及「詩第一、印第二、畫第三、書第四。」之說。(註二)儘管說法不同，但不論他的印居於第一或第二的位置，都可見他對於篆刻一道自視很高。

　　由於，他長期都靠賣畫刻印爲生，因此他的刻印，應酬之作佔了

很大部份。那些應酬作品，其中有不少是堪稱佳製的；但無可諱言，也有相當數目殊非經意，有些甚至是比較草率的，(註三)這點是他的弱點。

儘管如此，他的篆刻藝術仍然是瑕不掩瑜，在篆刻史上佔了舉足輕重的地位，其篆刻藝術的成就亦是人所共知的。

齊白石在篆刻藝術上的成就，首先是重視傳統，不為傳統所限。張次溪說：

「齊先生自學刻印之後，曾從黎松安處借得丁龍泓、黃小松諸人印譜，加意摩刻，漸有體會。又得二金蝶堂印譜，朝夕追摩，始瞭然於老實為正及疏密自然之理，刀法一變。自是而後，又究心於天發神讖碑，因之刀法再變。繼得三公山碑，精研其篆法，更有進益。最後喜摹秦權，縱橫平直，一任自然，刀法更進。先生又喜研究趙撝叔刻法，嘗謂：『刻印者，須天趣渾成，別開蹊徑，方不失古代名碑之遺模，眼中所見，惟趙撝叔一人而已。』惟趙刻朱文近娟秀，與白文之篆法異趣。先生於此更進一步，蓋不盡取法撝叔，能於娟秀中別見剛健超縱之氣。此先生一生刻印之所本也。」(註四)

這是說明齊白石對於篆刻諸前輩名流之追摩力學。他經過這樣的磨鍊之後，別創一格、風格嶄新，使篆刻藝術表現了前所未有的新面目。

第二是重刀法。

一提及齊白石的篆刻藝術，馬上令人想到他的「刀法」。由其刀

法所表現出他刻印「豪放雄肆」之氣象，更是有口皆碑。故刀法乃他篆刻藝術上獨特的成就。傅抱石說：

「老人的刀法，也是獨具一格的古今印人裡，以刀法見長的可謂不少。早一點的像程邃、丁元公、丁敬；近一點的像趙之謙、黃士陵，再近一點像和老人同輩的吳昌碩、陳衡恪，在刀法上都各有獨特的精到處，或以秀逸（溫和）勝，或以雄渾（猛利）勝，或柔或剛，各有不可磨滅的成就。我們知道，刀法在一定程度上相當於繪畫的筆法，是服從於書法的，服從於章法的，更重要的是服從於作者的思想感情的。所以它不是孤立的。老人在刀法上就鮮明地體現了這一點。腕力之盛，氣象之雄，眞如明代李日華在評一篇元人的文章中所說的『雄快震動，有渴驥怒猊之勢』。字如此，畫如此，刻印更是如此。我們從老人的每一方印章，每一個字，每一刀（筆），細細玩賞，細細研究這一刀和那一刀的關係，這個字和那個字的關係以及字與字相構成的整體關係，就可以比較容易的一面了解老人不『摹』不『作』特別是不『削』的創造精神，一面也彷彿看到老人鐵錐在手那種『一劍抉雲開』的豪邁氣概。」（註五）

此即明白指出齊白石刀法表現在篆刻上異於他人之處。

何以齊白石有如此出眾之刀法，這首先得歸功於他青年時代曾當過雕花木匠，對雕刻木頭整整十年餘的他來說，雕刻技術當然已了然胸，在這樣深厚的基礎上開始篆刻，正如莊子所謂「庖丁解牛」，自

然能「游刃有餘」了。

　　其次爲老人深諳篆刻的「刻」字精義，且能脫離摹、作、削之害，用衝刀刃石，刻出意趣古雅之印。

　　又他重視筆法，他刻字同寫字一樣，一刀下去，決不回刀，使刀如筆，刀法縱橫發展，揮灑自如，而這同木工雕花的刀法亦相通。

　　他年輕時雖爲木工，以後竟能中國篆刻史上一代宗師，正一如，孔子曾自謂：「吾少也賤，故多能鄙事。」故他刀法在篆刻藝術上所表現出來的成就之確堪稱一絕。

　　第三是印文字體的統一。

　　齊白石謂：

　　「吾人欲致力刻印，首宜臨摹古代文字，然後棄去帖本，自行書寫。帖本上所有者，固能一揮而就，帖本所無者，亦須信手寫出，如此用功，始能揮灑自如，不然必爲帖本所限矣。」（註六）

　　又謂：

　　「每刻鐘鼎文字，若原文只有兩字，則此一印章，即無法鐫刻，故所刻字爲鐘鼎文中所無者，須以己意刻出，又須有古人筆意，使見者一望而知胎息於鐘鼎文中而出，此種創造古字，乃有價值。」（註七）

　　故鳳翔說：

　　「齊白石明白了篆刻的藝術效果，首先是在於印文字體的統一——

致，而字是隨著時代與社會發展而日漸變化增多的，所以在組織上就困難重重了，其次是從事適當的安排和刀法純熟的運用，如果我們在一方石章上，把四個不同字體的字如金文、篆書、隸書、楷書刻在一起，其結果肯定是不順眼的，看起來也很不調和，所以古人說：『印以字爲文，文須考訂一體，不可秦篆雜漢、雜唐，如各朝之印，當宗各朝之體，不可溷雜其文，更改其篆，若他文雜廁，即不成文，異筆雜廁，則不成字。譬之三代文，不與秦漢合，漢魏詩不與近體合，古今各成一家，始無異義。』在這段話中，前面是談治一方印要求字體的統一，這是初學治印的常識，也是初步應做的工夫；後面談到古今各成一家，是主張要有創造性和具時代性。白石老人明白這點，所以他在篆刻的基礎上，先把書法練習好，求篆法組織的嚴謹、美觀與統一；然後再不顧一切地打破了傳統，破壞了歷代所謂印學的『清規戒律』，從而開闢了自己新的天地。」（註八）

所謂字體的統一，即一方印中數字若刻小篆則皆小篆，不與隸書、楷書相混，如此方能求此印文之統一。然則若此字爲小篆中所無，則須揣摩小篆筆意，使此字有古人筆意，才能師古而不泥於古，能闡揚古意，而又有所創新。

　　第四是在篆刻藝術上膽敢獨造的革新精神。

　　傅抱石說：

　　「齊白石老人是不是不尊重篆刻藝術的傳統，輕視向優秀的傳統

學習呢？不是的。一九二一年老人五十九歲時曾經說話：『刻印，其篆刻別有天趣勝人者，唯秦漢人。秦漢人有過人處，全在不蠢，膽敢獨造，故能超出千古。』這幾句話，不僅僅說明老人對優秀傳統的秦漢古印有深邃的理解，值得我們重視的是他看出了『天趣勝人』的作者──秦漢人的智慧與天才，從而總結了它們『超出千古』的經驗──『全在不蠢，膽敢獨造。』」（註九）

人皆謂齊白石「膽敢獨造」，然則其獨造並非一無所據，或天馬行空完全出於己意，如他對於秦漢古印（註十），碑版（註十一）是有過長期的涉獵。也受過它們不小的影響。卻從來沒有生吞活剝、硬搬硬套來自我欣賞，矜奇炫異。（註十二）

因此他在篆刻藝術上最突出的地方，就是緊緊跟著時代一切從現實、生活出發。他不像別的印人，一味的模仿古人的印譜，而是用心於觀察時代、現實。可見他是從優秀的傳統──篆刻藝術的傳統裡學到的「膽敢獨造」的基本內容。

總觀齊白石一生在篆刻藝術的成就是巨大的，他元氣淋漓，清新一片，而且別有天地，新意盡出的作品，是他一生努力榮績的結晶，成為了廣大藝術喜愛者心目中永遠放射光芒的瑰寶。

第二節　齊白石篆刻藝術對國內的影響

齊白石在篆刻藝術方面的卓越成就，至今仍然廣泛地影響了後世

中國篆刻家。

　　齊白石的治印，確實是前人未曾有過的一種創造。他刀下所刻出來的線條造型，原來就沒有什麼高深莫測的秘奧，刻印的人總會涉獵過這樣的刀法效果的。但事實上，又無法如他一樣，都能做到充實結構的本領，徒然學得單薄、乏味而已。

　　齊白石的印，好就好在能夠運用這種不加雕琢、一任自然的線條造型，統一起來，以欹生正，講呼應也有避就，時加併邊，加上他驚人的腕力，組成了一方方樸茂的、蘊藉的，及有淵懿韻趣的印章，形成了強烈的對稱法則，計朱當白，給中國篆刻藝術平添了新的風格。

　　齊白石強調：

　　「刻圖章不要學我，學我就是摹仿，沒有好處。」（註十三）

　　又他說：

　　「予之刻印，少時即刻意古人篆法，然後即追求刻字之解義，不為『摹』、『作』、『削』三字所害，虛擲精神。人譽之，一笑；人罵之，一笑！」（註十四）

此即一針見血地指出了「摹、作、削」三個字──三種致命的病症。在三個字中，他又最恨第一個「摹」字。

　　後世的篆刻家多數摹仿齊白石的印。其中有齊白石的門人，也有私淑齊白石者。

　　齊白石的門人可以說都是受了正面影響的人，因為他們都是直接

跟齊白石學的，所以能夠學到齊白石的好處。另外，在私淑齊白石者當中，正面影響者有之，副面影響者(註十五)也有。因為他們沒有機會直接跟齊白石學，因此不能盡得齊白石的好處。

王師北岳在講義中也強調，副面的影響者大概是這樣的；

第一，學不到齊白石的篆刻藝術精神者。

第二，天資、功力不夠者。

第三，學問不足者。

此三者缺一，則所刻出來的印章，便不能展現出篆刻的精神。於是，王師北岳就告訴學習篆刻的青年們：

「學一個人的外表容易，學內涵可不易。學外表又往往只學到皮毛，等而下之，這都是學識見解所致，如果我有見識，學他人時，可以學到內涵，如果學識不足與所師法的人相比，便會學到毛病，遺去佳處，是不可不知的。」(註十六)

篆刻的天地雖然只在方寸之間，但從繼承到創新，前人已走過不少道路。繼承，即要理解前人作品中的「內在聯繫」，懂得它的來龍去脈，並去蕪存菁。(註十七)如只是「依樣葫蘆」，徒具「形式」而已，這便是副面的影響。

在上面所說的原則下，可以將兩方面的例子，說明如下：

甲、正面的影響

㈠賀孔才，名培新，號天游，筆名賀泳。齋名天游室、潭西書屋。河北武強人。(註十八)民國十年，從齊白石學刻印。民國二十四年，刻印捨棄學齊白石，參考漢印古璽及名家印譜，自成一家，更見清淳。(註十九)著有「天游室文編」、「潭西書屋詩鈔」、「說印」、「孔才印集」等。(註二十，參看圖)

㈡周鐵衡，河北冀縣人。職業醫生，有專門著述；古錢幣收藏家，有「清錢軼錄」一書行世。(註二一)為齊白石弟子。(註二二，參看圖)

㈢馬景桐，字琴舫，號組衡。河北束鹿人。一九二九年拜齊白石門下習中國畫和篆刻。(註二三，參看圖)

㈣劉淑度，名師儀。山東德縣人。為齊白石女弟子，多年從事教育事業。(註二四，參看圖)

㈤羅祥止，因摹齊白石刀法雄快，謂挾有「風雷之聲」，遂執弟子禮，治印亦學齊白石面目。(註二五，參看圖)

㈥于非闇，畫家。曾從齊白石學印，然能自闢蹊徑。(註二六，參看圖)

㈦婁師白、名少懷。一九三四年正式拜齊白石為師學畫和刻印，因之更名師白。自幼喜愛畫畫兒，深得齊白石器重。著有「怎樣治印

」。(註二七，參看圖)

㈧陳大羽，名翺，字漢卿，爲齊白石入室弟子，所作花卉魚鳥，均接踵齊白石而肆張有加，治印則縱橫排奡，奇趣突出。(註二八，參看圖)

㈨洪業德，湖南人。于齊白石刀法，縱情揮灑，輕重疾徐，起倒變化，無不瞭然于心，從而更進一步上窺秦漢，下及西泠八家，心摹手追，融合古今。(註二九，參看圖)

㈩陳丹誠，初名衷，後更名實，字丹誠，以字行。山東即墨人。治所早年仍自漢印八手，後兼習皖派，拜識陳大羽後，以齊白石面目爲依歸。(註三十，參看圖)

(十一)李大木，號獨翁，五十歲後別署曲肱樓主，山東牟平縣人。(註三一)對近代諸名家作品細心觀摩，於吳昌碩、齊白石，兩大家最爲心折，尤以齊白石風格豪邁，氣勢磅礡，遂堅其私淑之願。(註三二，參看圖)

(十二)呂邁，江蘇金湖人。師事齊白石、陳大羽，篆刻古朴渾厚。(註三三，看圖)

乙、副面的影響

㈠王青芳，號萬板樓主，以木刻見長，能畫，能刻印。私淑齊白

石。北平市立第四中學美術教員。著有「王靑芳印存」。(註三四，參看圖)

㈡楊鵬升，字逸柔，以軍事家聞於世，精鐵筆，不爲各派所束，直逼秦漢，近似齊白石疏狂過之，當時推爲野獸派，出版有「東京集」、「上海集」、「北平集」等。(註三五，參看圖)

第三節　齊白石篆刻藝術對國外的影響

齊白石篆刻藝術的成就既如此之高，對近代中國印壇之影響又如此之大，那麼其印風自然會流傳到海外，因此齊白石的篆刻藝術對國外篆刻界當不無影響。

對韓國的篆刻界來說，篆刻藝術頗不受重視，印人極少。幸經李基雨、金膺顯等先生之提倡，學印者日益增加。(註三六)在此之前，韓國的篆刻家一方面有日本風，一方面有韓國傳統的稚拙、端雅之面貌。但自齊白石印風傳至韓國以後，引起韓國篆刻界學習之興趣，所以他的篆刻藝術給韓國印壇極大的衝擊力。如雪松崔圭祥、雪海閔宅基二人印風便深受齊白石影響，崔圭祥所刻「金永基印」(註三七，看圖)和閔宅基所刻「繞梨花屋」(註三八，看圖)二印可以看出摹仿齊白石刀法。(註三九)除上述二人外，還有裵亨鄭文卿(註四十，看圖)對齊白石亦頗有研究。

對日本來看，最近日本的篆刻界，對齊白石的篆刻評價定于「低

格」。依照日本出版「墨」雜誌，在「特別企劃中國近代藝術の巨匠齊白石」編中，石川九楊說：

「最近日本的篆刻界，對齊白石的篆刻評價定于『低格』。事實上自齊白石之後，中國篆刻作品未有出齊白石之右者。在齊白石篆刻裡，可具體指出其缺少深度與厚度，看起來虛浮淺薄。其在正方形四角，僅加少許人工圓滑的不自然輪邊作法，使人感到缺少印面的厚度感，所散發出的是輕薄感。這輪邊法說實在我也很難了解。」（註四一）

他又說：

「但，由其反覆採用此法看來要說是失敗，莫寧說是齊白石全部篆刻表現的特徵。薄薄的印面感、深鮮的刻劃字體感觸是齊白石篆刻的特性。在薄薄的方紙上以墨書寫是書道作法。齊白石的方形篆刻字體好像在下意識裡將篆刻拉近書道上。」（註四二）

雖然在日本的印人裡，有對齊白石篆刻評價定于「低格」，但他們的觀念只是盲從古典的見解，但如果他們認定篆刻是一種美術或造形藝術的一部份，則齊白石的作品便不是「低格」。齊白石的印是把古典和現代混合起來以後出來的現代印，（註四三）所以無論如何，齊白石確實是前所未有的一位創造性的傑出中國篆刻家。

齊白石影響日本的印壇實甚巨，自十九世紀中葉至現在，一直都很風行，如松尾正勝、蘆川北平、上原猛、蘆川笑影、大形徹、竹本晁三等所刻印（註四四，看圖）都吸取齊白石的精神與優點。

註　釋

註　一：書譜編輯委員會，四大家篆刻書法集（香港：書譜，十九七
　　　　六年十二月，總十三期），頁四九。

註　二：鳳翔，齊白石篆刻（香港：明報月刊，一九七〇年三月，第
　　　　五卷第三期），頁五三。

註　三：引廬，齊白石的篆刻和印譜（香港：書譜，一九七八年六月
　　　　，總二十二期），頁九。

註　四：張次溪，齊白石先生治印記。惲茹辛編，印林掌故（香港：
　　　　中山圖書公司，一九七三年九月），頁一〇二～一〇三。

註　五：傅抱石，白石老人的篆刻藝術。（藝海雜誌，民國六十七年
　　　　十二月，第四卷第二期），頁二二。

註　六：易恕孜，齊白石傳(八)（中外雜誌，民國六十二年十月，第十
　　　　四卷第四期），頁五二。

註　七：同前註。

註　八：同註二。

註　九：同註五，頁二一。

註　十：主要是鑿印、將軍印等。

註十一：主要如「天發神讖碑」、「三公山碑」。

註十二：同註五。

註十三：同註五，頁二一。

註十四：同註五，頁二一。

註十五：筆者用「副」而不用「負」字，有其特別的意思。「負」者不良影響也，此非齊氏之過，仍是後人學力、識力不足所致。「副」字，連帶之影響也，後人學齊白石者，當受其影響，而影響之好壞，後者須負此之責。

註十六：王北岳，印林見聞錄(二四〇)(藝壇，民國八十年十二月，第二八五期)，頁十。

註十七：子廬，刻圖章不要學我(香港：書譜，一九七九年十二月，總三十一期)，頁十七。

註十八：馬國權，賀培新簡述(印林，民國七十九年十月，第十一卷第五期)，頁三。

註十九：賀仲弼，舍弟孔才簡傳(印林，民國七十九年十月，第十一卷第五期)，頁一。

註二十：賀孔才所刻：

「涵負樓主所作詩文字」　　　「閩侯曾克耑字履川印」

註二一：楊廣泰，齊白石談篆刻藝術（ 北平：書目文獻出版社，一九
　　　　八九年 ），頁三。

註二二：周鐵衡所刻：

「牛聾秘笈」　　　　「虛度古稀牛」

註二三：同註二一，頁二～三。 馬景桐所刻：

「道弘屬稿」　　　　「嚴唆手書」

註二四：同註二一，頁三。

劉淑度所刻：

「趙學濤印」

「張伯麟印」

註二五：羅祥止所刻：

「趙潤淇印」

「誌瞻長壽」

註二六：于非闇所刻：

「于照之印」

「非厂日課」

註二七：北平語言學院中國藝術家辭典編集委員會編，中國藝術家辭

　　　　典(湖南：新華書店，一九八四年)，頁四九七。

　　　　婁師白所刻：

　　「橫眉冷對千夫指」　　　　　　「俯首日爲孺子牛」

註二八：王北岳，陳丹誠縱橫奇肆(印林，民國七十年二月，第二卷

　　　　第一期)，頁二七。　陳大雨所刻：

　　「無私無畏」　　　　　　　「童心未泯」

註二九：墨林外史，齊派印人洪業德先生篆刻欣賞（書畫家，民國六
　　　　十九年十二月，第六卷第五期），頁七。

洪業德所刻：

「冠生長壽」

「蔣彥士印」

註三十：同註二六。　陳丹誠所刻：

「李奇茂印」

「采風堂」

註三一：玄影，李大木古樸雄奇（印林，民國七十一年四月，第三卷
　　　　第二期），頁二五。

註三二：梁乃予，拜讀「李大木印譜」後記（書畫家，民國七十五年
　　　　十二月，第十八卷第五期），頁四九。

李大木所刻：

「老大無成」　　　　　　　　　「好壽」

註三三：盧國俊主編，當代書畫篆刻家辭典。浙江：文藝出版社，一

九九一年），頁三一九。　呂邁所刻：

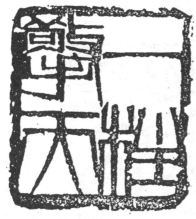

「一柱擎天」　　　　　「戎馬書生」

註三四：王青芳所刻：

「李雲亭」

「沈兼士書」

註三五：楊鵬升所刻：

「胡漢民印」　　　　　　　「不遺屋主」

註三六：宣桂善，趙之謙的書法篆刻（ 文化大學藝術研究所碩士論文
，民國七十二年 ），頁一四〇。

註三七：崔圭祥所刻： 「金永基印」

註三八：閔宅基所刻：

「繞梨花屋」

註三九：金晴江，東洋美術論（ 漢城：友一出版社，一九八〇年 ），
頁三五七～三五八。

註四十：鄭文卿所刻：

 「寶瓚門客」

「夢游寄萍堂」

註四一：石川九楊，齊白石の表現（ 東京：墨，一九九〇年一月，總

　　　　八十二號 ），頁一〇四。

註四二：同前註。

註四三：木耳社，篆刻講座第一卷（ 東京：木耳社，昭和六十一年八

　　　　月，三版 ），頁十七。

註四四：松尾正勝所刻：「虛靜室」　　　蘆川北平所刻：「春紅」

上原猛所刻：「五福」　　　蘆川笑影所刻：「笑影」

大形徹所刻：「不愧屋漏」　　　竹本晃三所刻：「晃三」

第六章　結　論

　　齊白石是一位有能有識，敢脫盡前人窠臼，自我成家的近代中國傑出篆刻家。

　　齊白石自十九歲至二十七歲，做了八年的雕花木匠，在他當雕花木匠期間，就已體會出推陳出新的重要性。這八年雕花生涯可說是他以後篆刻藝術的基石，由此可見齊白石在青少年時即已蘊育了藝術家大膽創新的氣質。

　　齊白石三十四歲時，他因為想學刻印章，在閒暇時，也常常學著寫些鐘鼎篆隸。在這樣過程當中，從他的詩友黎松安家見到丁敬、黃易的印拓，大為讚服，於是攻習丁、黃，走浙派方樸一路，筆者把這時期叫做摹擬期。

　　齊白石四十三歲時，在黎薇蓀家裡，見到趙之謙的「二金蝶堂印譜」，從此以後，發現了篆刻的新境界，進而潛心研究趙之謙的筆意與刀法，經過一番體會，觀摩比較，不斷的臨摹，始瞭然於老實為正及疏密自然之理，刀法一變，就是蛻變期。但這時期的齊白石篆刻，除了趙之謙之外，也吸收了當代及同輩名篆刻家，如黃牧甫、吳昌碩及陳師曾等人的寶貴經驗。

　　齊白石蛻變期的時間比其他時期還要長，因為他從四十歲到五十

四歲之間曾經五出五歸。所謂「行萬里路勝讀萬卷書」，既觀名山大川，廣擴心胸，大開眼界，下手自能不囿於小格局，再加上齊白石自青少年時期起即獨具巧思，勇於創新，因此蛻變期雖長，谷如蛹一般，終能幻化出多彩多資的篆刻藝術。

　　齊白石的擺脫摹擬，自行創造、至完全成熟，是他六十歲時才開始的。他六十歲時，不滿意技法上的陳陳相因，要求新求變，並直接了當地指出篆刻之害，即「摹、作、削」三字，而齊白石生性又不喜模仿，故最恨「摹」字之害，模仿雖能得其形似，卻傷害藝術之精神。

　　齊白石在吸收了前代名家的寶貴經驗之後，渴望刻印的新變法，十年如一日地苦心探求印風的出新。他在「白石老人自述」中說：

　　「後見『天發神讖碑』，刀法一變，又見『三公山碑』，篆法也爲之一變。最後喜秦權，縱橫平直，一任自然，又一大變。」
故以六十歲之高齡仍潛心苦練，以求印風之推陳出新，終於七十歲左右時，形成了朴野剛毅、雄肆淋漓的印章個性。這一過程雖然艱苦，卻是他藝術造詣傑出成就的關鍵，因此六十歲以後，可稱之爲「篆刻的衰年變法」。

　　齊白石老年的篆刻，已進入全新的藝術殿堂。他七十二歲時，在自述中說：

　　「我刻印，同寫字一樣。寫字，下筆不重描，刻印，一刀下去，

決不回刀。」

他老年期的刻印正如寫字一樣，下刀從不重覆，這可表現出一種一氣渾成的氣勢，掃除了刻板式的刀法，更沒有了支離碎現象。

齊白石自二十七歲開始走入文人的社會，學習書、畫，三十四歲始學篆刻，其後深刻地體認出筆法對篆刻的重要性，又下苦功練習筆法，並突破前篆刻家研習筆法的極限——漢代，向更前的秦代文物學習，有了這樣深厚的金石基礎，再加上他苦心鑽研「天發神讖碑」及「三公山碑」，於是博古通今，形成個人獨特的書藝。有了這些基礎之後，表現在篆刻上時他又能力避生澀的篆書，改爲較易識別的簡體篆，使篆刻平易近人，從而創造出他個人篆刻筆法的特色。

至於齊白石篆刻章法——並非「精妙」二字所能概括。印章之章法，猶如國畫之佈白，必使所畫之物與留白配合精當，始能完成布局。恰巧齊白石精通繪事，把虛實、呼應等原理嫺熟地運用到篆刻上來，將各字按結構及筆畫情況，遵照「空處可使走馬，密處不容針」的原則，方才造就了如此特立獨行的篆刻章法。

齊白石篆刻刀法所表現「蒼勁雄渾」之氣象，更是有口皆碑。齊白石的刀法爲單刀側入法，摒棄「摹、作、削」三害；而且只用衝刀，以正刀與側刀混合交錯使用，並注重刀的向背。又由於齊白石年輕時曾做過十年左右的木匠，以這樣深厚的雕刻功力及極強的腕力運用在篆刻上，所刻出之筆畫像刀斬斧截；雄快異常。加上他對歷代名家

書法了然於胸，而形成方折橫行、劍急弩疾的氣概。雖然齊白石一再強調一刀下去，決不回刀，但細玩其印，有時還是會作必要之補刀，否則難以刻出如此蒼勁雄渾之氣象。

　　總而言之，齊白石在筆法、章法、刀法上用心匪淺，故能使其篆刻藝術脫穎而出，無論用筆、用墨、布局皆有可觀，獨領中國印壇之風騷！

　　齊白石篆刻藝術的成就是他這一生中無數心血累積而成的，他不僅是中國印壇上評價最高的藝術家，其成就更是後人難望期項背的。要總結其成就，並非易事，僅能大略歸納出以下幾點：

　　(一)重視傳統，不爲傳統所限。

　　(二)重刀法。

　　(三)印文字體的統一。

　　(四)在篆刻藝術上膽敢獨造的精神。

從這幾個特點可看出，齊白石的篆刻藝術有傳統，有創新，從傳統到創新，則是一條艱辛而又漫長的道路，但他從這條刻苦寂寞的道路卻走出元氣淋漓，清新一片的天地，展現出篆刻藝術的新風貌，其作品再再顯現出他一生努力不懈的精神，而成爲廣大藝術喜愛者心目中永遠放射光芒的瑰寶。

　　總而言之，齊白石篆刻藝術是在求新求變中不斷前進的，他揚棄了舊的糟粕，吸收了新的血素，取得了無數可貴的經驗，從而改進自

己的作品。他在篆刻藝術方面卓越的成就，至今不只廣泛地影響了中國篆刻家，吸收了收藏家和無數的愛好者，還深深地影響了國外不少的藝術家。

參考書目

【中文部份】

中華書畫出版社編，中國篆刻藝術。台北：中華書畫出版社，民國七
　　十七年。

中國民俗學會編，齊白石鐵書。台北：東方文化書局，民國七十年。

王北岳，篆刻藝術。台北：漢光文化事業股份有限公司，民國七十九
　　年，九版。

王北岳，篆刻述要。台北：國立編譯館，民國七十五年，二版。

王北岳，篆刻藝術的欣賞。台北：行政院文化建設委員會，民國七十
　　九年，三版。

王仲章，全能的藝術家——齊白石。中國名畫家個史之研究。台北：
　　太陽城出版社，民國六十四年。

王家誠，吳昌碩生平及其藝術之研究。台北：藝術家出版社，民國七
　　十三年。

方挽華，吳昌碩的篆刻藝術研究。文化大學藝術研究所碩士論文，民
　　國六十九年。

包世臣，藝舟雙楫疏證。台北：華正書局，民國七十九年。

印證小集，印證小集集刻文壽承刀法論。台北：印證小集，民國七十
　　九年二月。

羊汝德，多采多姿的齊白石。大畫家小故事。台北：大江出版社，民
　　國五十九年。

余毅然，齊白石畫集。台北：文化藝術公司，民國五十六年十月。

何恭上編，齊白石畫集「齊白石年表」部份。台北：藝術圖書公司，
　　民國六十二年。

吳清輝，中國篆刻學。杭州：西泠印社，一九九〇年。

吳友琳，何謂鄧派。上海古籍出版社編，古代藝術三百題。上海：上
　　海古籍出版社，一九八九年。

李應強，從齊白石題跋研究白石老人。台北：文史哲出版社，民國六
　　十六年。

易恕孜，齊白石老人生平略記。齊白石口述、張次溪筆錄，白石老人
　　自述。台北：傳記文學出版社，民國五十六年。

周千秋，木匠出身的大畫家。中國歷代創作畫家列傳。台北：藝術圖
　　書公司，民國六十三年。

林浩基，彩色的生命。北平：中國青年出版社，一九八七年。

林素清，篆刻。台北：幼獅文化事業公司，民國七十五年。

美術叢書。台北：廣文書局，民國五十二年。

　　吾丘衍，學古篇。

　　甘暘，印章集說。

胡適，齊白石年譜。台北：胡適紀念館，民國六十一年。

洪雲龍，齊白石藝術創作研究。文化大學藝術研究所碩士論文，民國
　　六十四年六月。

許禮平編，四大名家款印、序。香港：翰墨軒出版有限公司，一九九
　　〇年十月。

柴子英，印學年表。西泠印社編，印學論叢。杭州：西泠印社，一九
　　八七年七月。

張次溪，齊白石先生治印記。惲茹辛編，印林掌故。香港：中山圖書
　　公司，一九七三年九月。

戚宜君，齊白石外傳。台北：世界文物出版社，民國七十九年，四版。

婁師白，怎樣治印。北平：人民美術出版社，年代不詳。

章蕙儀，齊白石山水畫之研究。文化大學藝術研究所碩士論文，民國
　　七十一年。

麥華三，隸韻、草情、齊篆。陳凡輯，齊白石詩文篆刻集附錄。台北
　　：宏業書局，民國七十二年。

楊光泰，齊白石談篆刻藝術。北平：書目文獻出版社，一九八九年九
　　月。

楊　逸，海上墨林。台北：文史哲出版社，民國六十四年。

齊白石口述、張次溪筆錄，白石老人自述。台北：傳記文學出版社，
　　民國五十六年。

齊白石，憶羅山往事。韓天衡編，歷代印學論文選。上海：西泠印社

，一九八五年。

齊白石，半聾樓印草序。北平圖書館編，齊白石手批師生印集，第五
　　集四冊。北平：書目文獻出版社，一九八七年。

齊白石，印說。韓天衡編，歷代印學論文選。上海：西泠印社，一九
　　八五年。

齊白石，題賀生孔才印存。韓天衡編，歷代印學論文選。上海：西泠
　　印社，一九八五年。

齊白石，白石印草序。重慶博物館編，齊白石印匯。四川：巴蜀書社
　　，一九九○年，二版。

齊佛來，我的祖父白石老人。西安：西北大學出版社，一九八八年。

蔣勳，齊白石。台北：雄師圖書公司，民國七十六年，三版。

篆學瑣著。台北：台灣商務印書館，民國六十二年。

　　朱簡，印經。

　　朱簡，印章要論。

　　吳先聲，敦好堂論印。

　　袁三俊，篆刻十三略。

　　徐堅，印淺說。

劉一聞，何謂印章的邊。上海古籍出版社編，古代藝術三百題。上海
　　：上海古籍出版社，一九八九年。

錢君匋、葉潞淵，中國璽印源流。台北：華聯出版社，民國六十一年。

錢君匋，中國璽印的嬗變。西泠印社編，印學論叢。上海：西泠印社，一九八七年。

韓天衡，中國印學年表。上海：上海書畫出版社，一九八七年一月。

藝文印書館編，藝文叢輯。台北：藝文印書館，民國六十七年，第十四編。

譚慧生編撰，民國偉人傳記。高雄：百成書局，民國六十五年。

蘇友泉，師院篆刻教學之研究。台南：供學出版社，民國八十年。

【期刊】

子廬，刻圖章不要學我。香港：書譜，一九七九年十二月，總三十一期。

引廬，齊白石的篆刻和印譜。香港：書譜，一九七八年六月，總二十二期。

引廬，齊白石篆刻技法試探。香港：書譜，一九七七年四月，總十五期。

王北岳，浙派與皖派。篆刻年刊，民國七十一年，第一期。

王北岳，白石老人篆刻特色。印林，民國六十九年四月，第一卷第二期。

王北岳，篆刻聞微(十一)。藝術家，民國六十五年十一月，第三卷第六期。

王北岳，齊白石以印明志。聯合報，民國五十五年九月十五日。

王北岳，陳丹誠縱橫奇肆。印林，民國七十年二月，第二卷第一期。

王北岳，印林見聞錄(二四○)。藝壇，民國八十年十二月，第二八五
　　期。

王壯爲，談三石的書畫篆刻。香港：大成，一九七九年三月，第六十
　　四期。

王壯爲，齊白石篆刻屑談。暢流，民國五十一年四月，第二十五卷第
　　五期。

王壯爲，齊白石早期的印章。藝文誌，民國五十四年十月，第一期。

王壯爲，齊白石早期刻石及家藏印譜之研究。篆刻年刊，民國七十一
　　年十二月，第四期。

玄影，李大木古樸雄奇。印林，民國七十一年四月，第三卷第三期。

印林編輯委員會，白石老人小傳。印林，民國六十九年四月，第一卷
　　第二期。

安萍，白石老人逸事——日本文人看齊白石。香港：明報月刊，一九
　　六九年十二月，第四卷第十二期。

吳相湘，名畫家齊白石是木匠出身。傳記文學，民國七十三年七月，
　　第四十五卷第一期。

易恕孜，齊白石傳(一)。中外雜誌，民國六十二年二月，第十三卷第
　　二期。

易恕孜，齊白石傳(二)。中外雜誌，民國六十二年三月，第十三卷第
　　三期。

易恕孜，齊白石傳(八)。中外雜誌，民國六十二年十月，第十四卷第
　　四期。

胡佩衡，白石老人衰年變法。香港：文匯報，一九五八年一月十日。

武文斌，齊白石之藝術造詣。復興崗學報，民國七十一年六月，第二
　　十七期。

馬達爲輯述，齊白石年表。香港：名家翰墨，一九九一年三月，總第
　　十四號。

馬國權，齊白石人的篆刻。香港：名家翰墨，一九九一年三月，總十
　　四號。

馬國權，篆刻技法中的邊款問題。書論，一九八五年，總第六十七期。

馬國權，賀培新簡述。印林，民國七十九年十月，第十一卷第五期。

書譜編輯委員會，四大家篆刻書法集。香港：書譜，一九七六年十二
　　，總十三期。

凌祖綿，齊白石藝術特色。書畫家，民國六十七年三月，第一卷第二
　　期。

梁乃予，拜讀「李大木印譜」後記。書畫家，民國七十五年十二月，
　　第十八卷第五期。

傅抱石，白石老人的篆刻藝術。藝海雜誌，民國六十七年十二月，第

四卷第二期。

傅抱石，中國篆刻史述略。香港：美術家，一九八〇年二月，第十二
　　期。

葉宗鎬，傅抱石的篆刻藝術。香港：名家翰墨，一九九〇年十月，第
　　九卷。

賀仲弼，舍弟孔才簡傳。印林，民國七十九年十月，第十一卷第五期。

楚天舒，中國篆刻發展概述(八)。香港：書譜，一九七六年二月，總
　　第八期。

鳳翔，齊白石篆刻。香港：明報月刊，一九七〇年三月，第五卷第三
　　期。

齊良憐，我的父親——白石老人。藝文誌，民國六十八年五月，第一
　　六七期。

墨林外史，齊派印人洪業德先生篆刻欣賞。書畫家，民國六十九年十
　　二月，第六卷第五期。

繆永舒，齊白石篆刻藝術風格的形成。北平：美術史論，一九九一年
　　，總三十七期。

譚興萍，我國篆刻藝術研究。藝術學報，民國七十年六月，第二十九
　　期。

關國煊，試續編「齊白石年譜」。傳記文學，民國七十三年二月，第
　　四十四卷第二期。

【日文部份】

木耳社編，篆刻講座第一卷。東京：木耳社，昭和六十一年八月，三版。

中央公論社編，文人畫粹編(吳昌碩、齊白石)第十卷。東京：中央公論社，昭和五十二年。

石川九楊，齊白石の表現。東京：墨，一九九〇一月，總八十二號。

北川博邦外多數譯、鄧散木著，篆刻學。東京：東方書店，一九八一年。

安藤更生，中國の印章。東京：二玄社，一九七七年，五版。

村松日英，南吳北齊の世界。文人畫粹編。東京：中央公論社，昭和五十二年，第十卷。

足立豐譯、齊白石口述、張次溪筆錄，齊白石「人と藝術」。東京：二玄社，一九七八年，二版。

高畑常信譯、錢君匋、葉潞淵著，篆刻の歷史と鑑賞。東京：秋山書店，昭和五十七年十月。

【韓文部份】

金晴江，東洋美術論。漢城：友一出版社，一九八〇年。

【印譜部份】

一九八八年全國首屆篆刻藝術展作品集。地點不詳：江蘇美術出版社，一九八八年。

二玄社編，齊白石印譜。東京：二玄社，昭和五十八年。

小林斗盫編，中國篆刻叢刊。東京：二玄社，昭和五十八年四月。

中西庚南編，近代篆刻字典。台北；苗藤，民國七十七年。

王北岳編，譚組安先生藏印。台北：王北岳，一九七二年拓編。

王北岳編，明清篆刻選輯。台北：佳藝美術事業有限公司，民國七十一年。

北平圖書館編，齊白石手批師生印集。北平：書目文獻出版社，一九八七年。

朵雲軒編，齊白石印集。上海：朵雲軒，一九八一年。

地球出版社，中國印譜。台北：地球出版社，民國七十九年八月。

泛亞圖書公司編，近代名家印存。香港：泛亞圖書公司，年代不詳。

重慶博物館編，齊白石印匯。四川：巴蜀書社，一九九〇年，二版。

陳師曾，槐堂摹印淺說。台北：藝文印書館，年代不詳。

秦公鑒定，齊白石印譜。北平：北平文物商店製，年代不詳。

許禮平編，四大名家款印。香港：翰墨軒，一九九〇年。

趙之謙，二金蝶堂印譜。台北：藝文印書館，民國五十七年二月。

齊白石，白石印草。台北：笛藤，民國七十六年八月。

熊伯齊編，榮寶齋藏三家印選。北平：榮寶齋，年代不詳。

鄭文卿，鄭文卿印集。漢城：美術文化院，一九八三年二月。

翰墨軒編，名家翰墨總十四號。香港：翰墨軒，一九九一年。

戴山靑編，齊白石印影。北平：榮寶齋，一九九一年五月。

【工具書】

中文大辭典。台北：文化大學出版部，民國七十四年，七版。

盧國俊主編，當代書畫篆刻家辭典。浙江：浙江文藝出版社，一九九

　　一年。

上海書畫出版社主編，書畫篆刻實用辭典。上海書畫出版社，一九八

　　八年十月。

北平語言學院中國藝術家辭典編輯委員會編，中國藝術家辭典。湖南

　　：新華書店，一九八四年。